D1211294

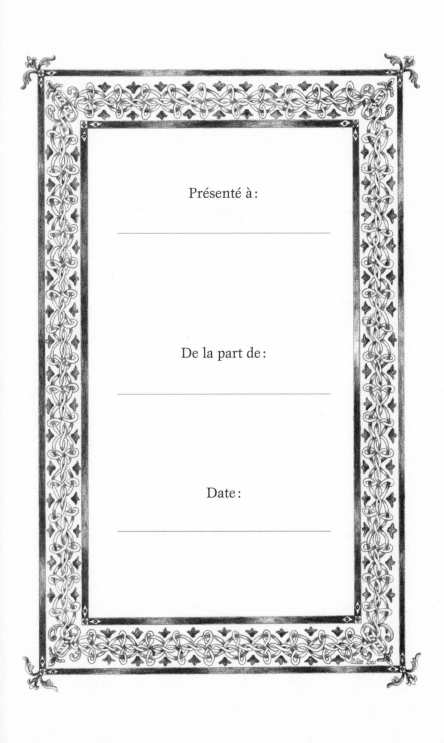

Présenté à :

_____

De la part de :

_____

Date :

_____

Il y a, semble-t-il, une faim qui
stimule l'âme de l'homme, et nos
choix nous dirigent aussi sûrement
que si nous avions suivi une carte
routière. Certains l'appellent la
chance ou la malchance.
D'autres parlent de destinée.

TIRÉ DU JOURNAL PERSONNEL
DE
JOYE KANELAKOS

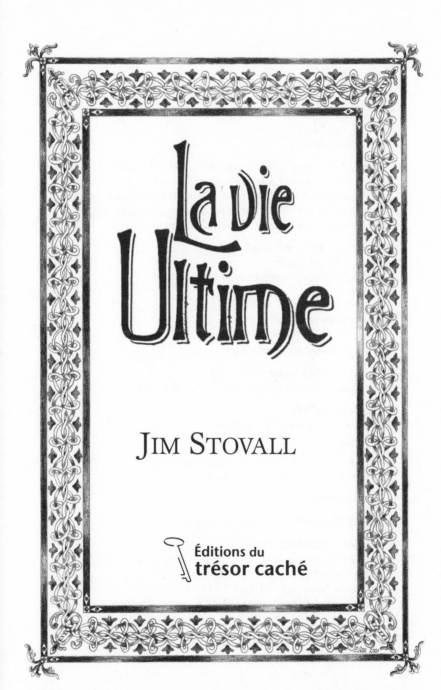

La vie Ultime

JIM STOVALL

Éditions du
trésor caché

LA VIE ULTIME
Édition originale publiée en anglais par David C. Cook, Colorado
Springs, CO (É.-U.) sous le titre :
THE ULTIMATE LIFE
© 2007, Jim Stovall
Tous droits réservés

ÉDITIONS DU TRÉSOR CACHÉ
2-36, rue de Varennes
Gatineau, (Québec) Canada
J8T 0B6
Tél. : (819) 561-1024
Téléc. : (819) 561-3340
Courriel : editions@tresorcache.com
Site web : www.tresorcache.com

Traduction : Marie-Andrée Gagnon
Infographie : Roseau Infographie / Richard Ouellette

Dépôt légal – 2008
Bibliothèque nationale du Québec
Bibliothèque nationale du Canada

Gouvernement du Québec – Programme de crédit d'impôt pour
l'édition de livres – Gestion SODEC

ISBN 978-2-922405-55-2

Imprimé au Canada

Diffusion / distribution :
Canada : Messageries ADP, Longueuil (Québec), (450) 640-1234
Europe : Interforum editis, Contact France : Messageries ADP,
    Ivry sur Seine, +33 (0)1 49 59 11 56/91
Europe (marchés spéciaux) : WMI Sarl, www.libreentreprise.com

Les personnages et les événements du présent livre sont fictifs, et
toute ressemblance avec des personnes et des événements réels est
une pure coïncidence.

INTRODUCTION

*J*e tiens à vous remercier d'avoir investi de votre temps dans le présent livre et le message que ses pages renferment. Le temps est un bien précieux. Je leur en suis reconnaissant lorsque les gens sont disposés à passer un peu de ce temps en ma compagnie par le truchement de mes livres.

Pour la première fois aujourd'hui, certains d'entre vous commencent leur voyage en notre compagnie, à mes personnages et à moi-même. D'autres l'ont commencé par le moyen du livre *Le don ultime* ou du grand film qui en a été inspiré. D'une manière ou d'une autre, je suis heureux de vous avoir à bord.

Lorsque vous aurez lu la dernière page du présent livre, je crois que vous serez une personne différente de celle que vous êtes en ce moment. Cette histoire concerne les personnages qui feront le sujet de votre lecture, mais le message nous concerne vous et moi. Il ne s'agit pas d'un voyage ou d'un message qui durera les quelques heures qui séparent la première page de la dernière page de ce livre. Il s'agit d'un message et d'un voyage qui dureront le reste de votre vie. Une fois la lecture de ce livre terminée, le voyage ne fera que commencer.

En amorçant votre voyage de *La vie ultime*, veuillez vous rappeler de toujours partager ce message et votre voyage avec autant de gens que possible. Ayez la gentillesse de m'écrire pour me raconter en quoi un des messages du présent livre a influencé votre vie ou la vie de quelqu'un que vous connaissez. Vos propos m'encouragent et sont susceptibles de venir en aide à beaucoup d'autres gens dans le monde par un futur livre du genre de *La vie ultime*.

Merci,
Jim Stovall
Jim@JimStovall.com
(918) 627-1000

Comme toujours, je dédie le présent livre à Crystal,
qui est encore le meilleur auteur qui vive sous mon toit.
Je le dédie également à Dorothy Thompson, sans qui
il n'existerait pas, à mon équipe professionnelle
qui me fait paraître mieux que je ne le devrais
et qui rend les choses amusantes, ainsi qu'à mes amis
et partenaires de The Ultimate Gift Experience
et du film The Ultimate Gift, *pour avoir cru en moi*
et au message de La vie ultime.

*Dans la vie, la journée la plus ordinaire
peut prendre un virage extraordinaire;
par conséquent, on devrait anticiper
et savourer chaque journée.*

Un

LA VIE COMMMENCE AUJOURD'HUI

_L_e fait d'observer la parade de la vie sous un angle privilégié depuis plus de quatre décennies m'a permis de considérer ce que l'humanité a à offrir de meilleur et de pire. Cette matinée particulière débuta comme toutes les autres. J'étais bien loin de me douter qu'elle marquerait le début de la journée qui allait, à tout jamais, changer ma vie et celle d'innombrables autres personnes.

Comme d'habitude, le lever du soleil me trouva assis derrière le monument très orné qui me servait de bureau. Toutes ces années, j'avais permis à ce mastodonte de rester là, car les gens censés savoir ces choses m'assuraient qu'il convenait à mon statut et constituait un symbole de ma destinée. Si mon bureau est un compromis pour mes collègues et ma position, mon fauteuil est une oasis de complaisance. Il s'agit d'une création de cuir faite sur mesure qui, au fil des ans, s'est élargie et s'est transformée de manière à ne convenir qu'à moi seul.

Je me suis entendu décrire comme imposant et dominateur, entre autres qualificatifs. Si l'on dit vrai, c'est sans conteste un net avantage dans la profession que j'ai choisie d'exercer. Quoi qu'il en soit, à côté de mon légendaire fauteuil de cuir, même moi, je ne fais pas le poids.

J'essayais de finir mon deuxième café. La sonnerie prévisible de l'antique horloge de parquet allait annoncer à tous ceux qui enfilaient le corridor que la journée débutait sans plus tarder. Lorsque la majestueuse horloge se mit à sonner dix fois, je quittai mon fauteuil confortable, je contournai le bureau colossal et je me dirigeai vers la porte d'acajou haute de 3 mètres.

« La Cour ! »

J'entendis les paroles familières, prononcées d'une voix solennelle, qui signalaient le début de ma journée de travail.

« L'audience est ouverte. L'honorable juge Stanford A. Davis préside. »

Je franchis la porte d'acajou, je gravis les trois marches qui me conduisirent au siège du juge, certes adéquat, mais assurément moins confortable que celui que je venais de quitter. Je promenai mes regards sur l'assemblée un peu plus longtemps qu'il n'était absolument nécessaire, puis j'annonçai : « Vous pouvez vous asseoir. »

Au fil des ans, j'en étais venu à anticiper la gravité ou l'importance d'une affaire en particulier selon le nombre des participants, des observateurs et des représentants des médias qui se trouvaient dans ma salle d'audience. Bien qu'il ne fût pas parfait, ce baromètre s'était avéré très juste dans le cas de milliers de procès. Ce jour-là, il m'indiqua que je n'avais jamais instruit d'affaire semblable à celle-là.

Chaque affaire est unique en soi, car les gens, les situations et les lois qui les régissent varient considérablement. La loi, lorsqu'elle est correctement appliquée par le juge, se situe quelque part entre la science et l'art. Le juge doit être à la fois assez scientifique pour connaître les volumes pertinents et redondants du droit jurisprudentiel et en quoi ces derniers influencent toute situation, d'une part, et assez malin pour entrer dans l'esprit de ceux qui ont formé et structuré nos lois afin de discerner leur intention et leurs nobles idéaux par rapport à la situation moderne et courante à traiter, d'autre part.

Je savais – comme tout l'auditoire de la Cour et tous les gens du monde civilisé le savaient aussi – que l'heure était venue de mener la bataille de la succession de Red Stevens. Même si nous étions tous au courant, je fixai le regard sur les documents que l'on avait placés devant moi jusqu'à ce qu'un silence de mort plane sur l'assemblée. Puis, je frappai un coup de maillet, je fis un signe de tête affirmatif à mon greffier et je m'adressai au sténographe.

« L'affaire portée devant le tribunal aujourd'hui concerne la succession telle qu'établie dans le testament de Howard "Red" Stevens. »

Les doigts du sténographe couraient sans se tromper sur les mystérieuses touches comme ils le faisaient depuis de nombreuses années dans ma salle d'audience. Je gardai un moment de silence respectueux, puis je regardai les avocats et les parties de chaque côté de l'allée qui divisait en deux ma majestueuse salle d'audience en marbre.

Je sus, en théorie, le jour où je m'assis pour la première fois sur ce siège – et je le sais maintenant par expérience pratique – que le juge en exercice a parmi ses rôles principaux de paraître, de se conduire et d'agir conformément à l'image qu'on se fait de lui. Lorsqu'on me nomma juge, je comptais parmi les plus jeunes à avoir accédé à cette fonction.

Je me rappelle avoir dit à ma femme bien-aimée, Marie, que ma traversée quotidienne du couloir était intimidante parce que je devais passer sous les portraits de tous les juges solennels et sages qui m'avaient précédé. En tant que jeune nouveau venu, du moins en tant que juge, je ne me sentais pas apte à marcher sur leurs traces, encore moins à revêtir leur toge. Au cours des quarante années suivantes et plus où je me suis dit inquiet de ma propre mortalité du fait que j'avançais inévitablement en âge, Marie m'a exhorté maintes fois comme ceci : « Tu ne deviens pas vieux, mais tu deviens très juge. »

Je n'oublie jamais que le faste et le décorum propres au tribunal ne servent pas à m'élever, mais plutôt à démontrer du respect et de la révérence envers tout ce que le tribunal représente en tant que symbole de la loi. Je me soucie peu de ce que les gens peuvent penser de ma personne, ou de ma façon de vivre et de marcher sur le trottoir et dans les rues de la ville. Lorsque j'instruis un procès, revêtu de ma toge, je deviens cependant un symbole de tout ce qui nous est cher.

En tant que tel, j'exige le respect – non pour Stan Davis, mari, ami et voisin, mais plutôt pour le juge Stanford A. Davis, symbole et arbitre de la loi.

Que pouvait-on, moi ou qui que ce soit, dire de Red Stevens qui n'ait déjà été dit, écrit ou annoncé aux quatre coins du monde civilisé ? Red Stevens était de ceux qui deviennent une légende de leur vivant et une idole après leur mort.

En général, un juge serait tenu de se récuser ou de céder la présidence à un autre juge s'il en avait entendu autant que j'en ai entendu au sujet de l'affaire à instruire et des gens y étant impliqués. Heureusement ou malheureusement, il n'y avait aucun juge nulle part, ni personne ailleurs, qui n'avait pas déjà entendu parler de Red Stevens et qui ne s'était pas déjà fait une opinion à son sujet, au sujet des conditions de son testament et de l'affaire qui allait m'être présentée.

Red Stevens était un véritable géant de par sa personne, sa réputation et ses réalisations. Il avait vécu une si grande partie de sa vie sous les projecteurs que de séparer le mythe et la légende de la réalité n'était pas chose facile. Il était célèbre depuis si longtemps que sa vie semblait avoir traversé plusieurs générations et époques.

Comme la légende et l'Histoire le racontent, Red Stevens naquit dans l'ombre et dans une pauvreté abjecte au cœur des marais de la Louisiane. Très jeune, il quitta le nid pour aller s'installer au Texas avec rien de plus que les vêtements qu'il portait, une tête pleine d'une détermination obstinée et un esprit indomptable où se multipliaient les rêves. Au cours du demi-siècle qui suivit, Red Stevens se créa un empire dans le monde du bétail, du pétrole, de la finance et de l'industrie tel qu'on n'en avait jamais vu jusque-là.

Red Stevens faisait tout en grand. C'était un homme d'affaires acharné, qui se montrait parfois impitoyable. C'était également un philanthrope généreux et compatissant. Il était l'ami précieux de beaucoup de gens et l'ennemi redoutable de quelques-uns. Il connaissait presque tous les gens célèbres et fortunés de son époque. De bien des manières, Red Stevens et quelques personnes qui lui ressemblaient définirent le XXe siècle et jetèrent les fondations d'une grande partie de ce que nous connaissons comme le XXIe siècle.

Ses réalisations étaient légendaires, mais il n'était pas exempt des faiblesses propres à la race humaine. Red Stevens travailla incroyablement dur pour procurer à sa famille tout ce qu'il croyait qu'elle voulait avoir. Beaucoup trop tard dans la vie, il découvrit que ce qu'elle voulait avoir et ce dont elle avait besoin, c'était surtout de lui. Vers la fin de sa vie, Red Stevens en vint à réaliser que, malheureusement, il avait consacré beaucoup trop de temps, d'efforts et d'énergie aux cérémonies, aux négociations et aux grands banquets, et beaucoup trop peu de temps aux matchs de la Petite Ligue, aux fêtes d'anniversaire et aux réunions de famille.

Cette constatation, il ne la fit qu'en réalisant qu'il ne lui restait plus que quelques jours, tout au plus quelques semaines, à vivre. En considérant le dilemme générationnel que sa trop grande fortune et son trop peu de temps consacré aux siens avaient créé parmi ses proches, Red Stevens sut qu'il était trop tard pour venir en aide à ses enfants et à la plupart, sinon à la totalité, de ses petits-enfants. Toutefois, sur la fin de sa vie, Red reconnut ce qu'il pensait et espérait être une étincelle prometteuse chez son jeune petit-fils Jason Stevens.

Il conçut un plan qu'il mit à exécution à titre privé dans son testament, un plan qui défraya les manchettes et qui fut sur toutes les lèvres à l'échelle nationale. Red léguait ses puits de pétrole, ses exploitations bovines et son empire financier à ses enfants. Cependant, à son petit-fils Jason, il faisait un legs de biens personnels que l'on en vint à connaître sous le nom de « don ultime ».

Le don ultime est une idée qui révolutionna le domaine du droit des biens et de la propriété. Elle était aussi unique et spéciale que l'était Red Stevens. Le legs de biens personnels que Red fit à son petit-fils impliquait une odyssée de douze mois au cours de laquelle Jason fut à la fois encouragé et forcé à découvrir ce que sont le don de l'argent, le don du travail, le don des amis et quelques autres leçons de vie. Il y eut au total douze dons qui, ensemble, formèrent le don ultime que Red Stevens avait prévu pour son petit-fils Jason.

Selon le testament de Red, pour hériter, Jason devait apprendre une véritable leçon de vie tant au moyen des paroles que Red avait enregistrées sur vidéocassettes que des tâches que son grand-père lui confiait. Si Jason arrivait à bien accomplir chaque tâche, il hériterait d'un mystérieux don ultime auquel Red Stevens faisait allusion dans son testament et dans les vidéocassettes qu'il avait laissées à l'intention de Jason. Dans chaque message sur vidéocassette, Red exprimait ses pensées et son vécu par rapport à chaque don individuel, mais sans jamais révéler la nature du legs que représentait le don ultime en question.

Au cours de l'année qui suivit la mort de Red Stevens, Jason – sous la direction de Theodore J. Hamilton, ami de toujours et avocat de Red – mit en œuvre à la satisfaction de Mᵉ Hamilton chacun des douze dons, devenant ainsi héritier du don ultime de Red Stevens.

Tout au long de cette année-là, Jason Stevens grandit et s'améliora, un peu comme une fleur sauvage s'épanouit lorsqu'elle reçoit soudain l'attention d'un grand jardinier. Une fois que Jason eut terminé la douzième leçon, qui correspondait au don de l'amour, il crut que les douze leçons constituaient le don ultime. Cependant, même si elles constituaient bel et bien une partie importante du plan du don ultime, Jason – parce qu'il avait accompli les douze tâches – reçut par testament presque toute liberté d'administrer à sa guise une fortune de plusieurs milliards de dollars grâce à laquelle il était tenu d'aider d'autres personnes à vivre leur propre version du don ultime de Red Stevens.

Une idée née dans l'esprit de Red Stevens et qui s'était concrétisée sous la forme d'un drame étalé dans les journaux du monde entier aboutissait maintenant dans ma salle d'audience.

D'un côté de l'allée se trouvaient les enfants et les petits-enfants de Red Stevens, qui avaient retenu les services d'une véritable équipe de rêve composée de prestigieux avocats aux honoraires exorbitants qu'ils avaient mandatés pour contester et tenter de renverser le testament de Red Stevens, afin de se partager plusieurs milliards de dollars en plus de ce dont ils avaient déjà hérité.

De l'autre côté de l'allée se trouvait Jason Stevens flanqué d'un avocat on ne peut plus décevant qui, si je n'avais pas vérifié les dossiers, ne m'aurait pas semblé assez vieux ou assez expérimenté pour avoir fini ses études de droit. En fait, on aurait dit une version judiciaire de David et Goliath.

L'avocat et ami fidèle de Red Stevens, Theodore J. Hamilton, de chez Hamilton, Hamilton et Hamilton, avait quitté le pays en vue d'un long congé sabbatique peu après que les dernières volontés de Red Stevens eurent été exécutées et que le don ultime eut été présenté à Jason Stevens. Aux dernières nouvelles, Hamilton était en voyage, donnait des conférences et étudiait un peu partout en Inde et en Extrême-Orient. Sa dernière communication provenait d'un village retiré de l'Himalaya.

L'équipe de rêve avait tellement bien réussi ses manœuvres juridiques destinées à geler tous les actifs de Jason Stevens que, devant le tribunal, la totalité du pouvoir d'action juridique de Jason était incarnée dans la personne du jeune maître Jeffrey Watkins. Comme mes recherches me l'avaient révélé, Jeffrey Watkins avait bel et bien reçu son diplôme sans trop d'honneur de la faculté de droit d'une institution d'enseignement supérieur relativement peu connue. Étant donné qu'il s'agissait, pour ainsi dire, de son tout premier procès, il n'avait aucun antécédent pour indiquer le degré de compétence ou d'expertise que pouvaient cacher sa tignasse indisciplinée, ses épaisses lunettes et son visage boutonneux.

Je me raclai la gorge, marquai une pause lourde de sens, puis je dirigeai mes regards du côté de l'allée où se trouvait le plaignant. Je demandai : «Toutes les parties sont-elles présentes et n'a-t-on oublié personne?»

Un membre de l'équipe de rêve, d'âge moyen, impeccablement coiffé et habillé avec élégance, se leva de la table qui se trouvait devant le clan Stevens. D'un geste théâtral, il fit une courte révérence, et prit la parole.

«Votre Honneur, plaise à la Cour, je suis L. Myron Dudly de la firme Dudly, Cheetham et Leech, qui apparaît devant vous aujourd'hui pour représenter les réclamations légitimes et fondées en droit de la famille Stevens, héritiers de fait et légaux de la succession de Howard "Red" Stevens.»

L. Myron Dudly sourit d'un air suffisant tandis que l'on pouvait littéralement entendre les applaudissements étouffés de la famille Stevens répartie sur plusieurs rangées derrière lui. Je fis retentir mes coups de maillet et me redressai sur mon siège. Je jetai un coup d'œil au-dessus de mes lunettes vers l'avocat qui semblait tout droit sorti d'une revue de mode pour hommes.

Je ronchonnai : «Maître, vous conseillerez à vos clients de respecter l'ordre et la dignité de mon tribunal et de l'affaire qui y est instruite. La Cour inscrira au registre que vous êtes Me Dudly de Dudly, Cheetham et Leech, et que vous représentez ici la famille Stevens. Pour ce qui est de déterminer qui sont ou ne sont pas les bénéficiaires légitimes et fondés en droit de la succession de Howard "Red" Stevens, ce sera à la Cour d'en décider.»

Je pris trois inspirations profondes et audibles, puis je pointai L. Myron Dudly de mon maillet en lui demandant : «Nous comprenons-nous bien?»

S'étant fait ainsi rabattre le caquet, ce fut un Dudly considérablement démonté qui marmonna : «Oui, monsieur.»

Je reposai mon maillet, et je poursuivis.

«Maître, vous pouvez réserver vos attitudes théâtrales et vos suppositions pour les soirées de théâtre amateur ou les jeux de charades qui ont lieu ailleurs, mais, dans ma salle d'audience, ce sont les faits et le droit qui nous intéressent.»

Dudly signifia son accord d'un signe de tête, puis se laissa choir sur sa chaise. Je crois qu'il aurait aimé disparaître sous la table, si la chaise ne l'en avait empêché.

Puis, je détournai mon regard pour le poser sur l'autre côté de l'allée et je levai un sourcil en guise d'interrogation. Comme mon geste n'avait suscité aucune réaction, je finis par demander : «Maître, nous feriez-vous l'honneur de vous présenter à la Cour pour qu'elle vous inscrive au greffe?»

Tremblant, Jeffrey Watkins se mit debout. Son complet avait connu des jours meilleurs. Je présumai qu'il avait été porté par quelqu'un d'autre, car il ne lui allait pas du tout. Tandis qu'il s'appuya sur la table devant lui, des gouttelettes de sueur se mirent à lui perler sur le visage. Après avoir fait quelques faux débuts, il finit par articuler : « Votre Honneur, je suis Jeffrey Watkins et je représente le défendeur, Jason Stevens. »

Il s'assit ensuite lourdement sur sa chaise, en donnant l'impression que d'avoir prononcé cette simple déclaration devant la Cour s'était avéré aussi exigeant que d'avoir couru un marathon.

Je considérai l'incroyable écart entre les aptitudes juridiques que l'on me présentait. La situation s'avérait particulièrement troublante pour moi, car je savais qu'il s'agirait d'un procès extrêmement médiatisé et complexe dont l'enjeu était d'une valeur inestimable. Puis, sans préambule ni crier gare, en un seul et court instant, la marée changea.

Brusquement, les deux battants de la porte double au fond de ma salle d'audience s'ouvrirent en même temps. Je tendais le bras pour saisir mon maillet afin de réprimander mes deux fidèles greffiers, Jim et Paul, qui savaient qu'il ne fallait absolument pas ouvrir les portes quand la Cour siégeait, lorsque *la chose* se produisit.

Venu de nulle part, un gentleman impeccablement vêtu apparut et avança d'un pas rapide et majestueux, presque royal, dans l'allée du centre. Sa peau noire d'ébène rayonnait d'énergie, et le feu qu'il avait dans le regard n'échappait à personne dans l'auditoire. En se glissant derrière la table disposée du côté de l'allée réservée au défendeur, il annonça ce que tout étudiant de droit et moi savions déjà.

«Votre Honneur, je suis Theodore J. Hamilton de Hamilton, Hamilton et Hamilton, pour la défense.»

*Dans la vie, il n'y a rien de plus
puissant que la personne qui a vu
le chemin de sa destinée
et qui est disposée à le suivre.*

Deux

LA VIE EST UN VOYAGE
ET UNE DESTINATION

~~

*L*e choc de l'entrée spectaculaire de Hamilton se répercuta dans toute la salle d'audience. Tandis que j'y allais de mes coups de maillet et que je ramenais l'auditoire à l'ordre, j'entendis Jason Stevens s'exclamer avec enthousiasme : « Mᵉ Hamilton, je n'arrivais pas à vous joindre. Je vous croyais perdu. »

Hamilton lui sourit d'un air entendu et lui répondit : « Jeune homme, il existe une énorme différence entre être perdu et désirer simplement ne pas être trouvé. »

Avant que la Cour n'ait eu le temps de complètement revenir à l'ordre, L. Myron Dudly se leva d'un bond et déclara : « Votre Honneur, je m'objecte le plus énergiquement à cet étalage théâtral et irrespectueux de la part de l'avocat adverse. »

Theodore J. Hamilton se leva lentement tandis que l'auditoire se tut. Il s'adressa à moi, mais en fixant Dudly du regard, de l'autre côté de l'allée, comme on regarderait un corps étranger collé à la semelle de sa chaussure.

25

«Votre Honneur, je n'avais pas l'intention de déranger, d'intimider ou d'indisposer l'avocat adverse en entrant simplement dans la salle d'audience.»

Rougissant et la voix chargée de colère, Me Dudly répliqua : «Votre Honneur, je dois m'y objecter le plus énergiquement.»

Après avoir donné un coup de maillet pour rétablir l'ordre, je regardai les deux avocats d'un air sévère, puis je leur déclarai avec geste à l'appui : «Maîtres, veuillez tous deux vous approcher.»

L. Myron Dudly s'avança d'un pas traînant vers le siège surélevé et menaçant du juge comme un écolier se préparant à expliquer que son chien avait mangé son devoir. Me Hamilton acquiesça d'un signe de tête et traversa d'un pas sûr la surface de marbre poli vers l'endroit que je venais de leur indiquer. Il leva les yeux, dans un regard chargé d'expectative.

Je connaissais bien sûr Theodore J. Hamilton, et il savait que je le connaissais. Hamilton n'était rien de moins qu'une légende. Lorsque j'étudiais encore le droit et que j'étais alors le greffier du juge Eldridge, on racontait partout les exploits juridiques et historiques d'un dénommé Theodore J. Hamilton. Il avait plaidé devant moi auparavant, toujours en sa qualité de professionnel accompli. Il était imposant et intimidant, mais il possédait l'aura empreinte d'assurance de celui qui sait n'avoir rien à prouver.

Hamilton était comme le lanceur étoile d'une ligue majeure de base-ball. L'arbitre a beau s'efforcer de se montrer juste, reste qu'il lui est difficile de ne pas déclarer «Prise!»

même quand la balle passe loin du marbre. Baissant les yeux, je jetai un regard furieux aux deux avocats.

«Messieurs, nous avons beaucoup de pain sur la planche, et je crois que, si nous gardons bien présentes à l'esprit les questions juridiques qui nous intéressent et mettons de côté nos différends, cela nous sera d'un grand avantage.»

L. Myron Dudly commit alors l'erreur que j'avais espéré qu'il éviterait de faire. Il ouvrit la bouche.

«Votre Honneur, Me Hamilton semble penser que les règles de droit et de ce tribunal ne s'appliquent pas à lui. Nous avons tous été dûment informés de la tenue aujourd'hui de l'audience en cours, qui devait commencer à 10 heures précises. Votre Honneur devrait peut-être enseigner à cet avocat le grand art de lire l'heure.»

Theodore J. Hamilton en ria. Il marqua ensuite une pause, qui dura assez longtemps pour créer un malaise général, puis il s'adressa à moi en regardant avec dédain dans la direction de L. Myron Dudly.

«Votre Honneur, si M. Dud...»», Hamilton toussa plusieurs fois, puis continua : «ly...»

Les yeux exorbités, Dudly balbutia : «Votre Honneur, je ne me suis plus fait appeler Dud depuis le primaire. Je vous implore de prendre des mesures disciplinaires contre l'avocat adverse pour avoir posé un geste de bas étage, dégradant et puéril.»

Hamilton prit des airs innocents, presque angéliques, en levant des yeux écarquillés vers moi et en me disant : «Votre Honneur, je semble avoir attrapé quelque chose au fond de la gorge qui se manifeste de temps à autre sous forme d'une toux sèche. Il semblerait qu'une quinte de toux m'ait pris au moment même où je prononçais le nom de l'avocat adverse, exactement entre le "Dud" et le "ly". J'ignore à peu près tout des gestes puérils auxquels l'avocat fait allusion. En fait, étant donné que j'ai moi-même quatre-vingts ans bien sonnés, je demande à la Cour de se montrer indulgente lorsqu'il arrivera de temps à autre que mes maux physiques affectent mon rendement de manières qui échappent à ma volonté. Lorsque Votre Honneur aura passé le cap des quatre-vingts ans, je suis certain que vous le comprendrez pleinement.»

En entendant Scott, mon sténographe d'ordinaire solennel, hennir doucement, je réprimai moi-même un rire et répondis : « Mᵉ Hamilton, je n'ai pas encore atteint les quatre-vingts ans, mais je vous suis de près, ce qui me permet de comprendre votre situation ; cependant, votre quinte de toux semble effectivement s'être produite à un curieux moment. »

Hamilton fit un signe solennel de la tête et déclara : «Oui, c'est une chose bien étrange, Votre Honneur. Inexplicable, en fait. Et, pour ce qui est de mon arrivée de ce matin, je suis venu comme il convenait de le faire aussitôt que j'ai reçu la nouvelle de la tenue de cette audience. »

Dudly l'interrompit ainsi : «Votre Honneur, il y a des semaines que notre firme a été avisée de la tenue de cette audience et que l'avocat adverse a reçu des copies de cet avis.»

Hamilton poursuivit : «Votre Honneur, j'ai pris un congé sabbatique durant lequel j'ai voyagé partout en

Inde et en Extrême-Orient. On m'a informé aussi rapidement que possible par téléphone, par service de messagerie express, par télécopie et par courrier, et le message a fini par me parvenir dans les régions éloignées de l'Himalaya grâce à un missionnaire itinérant qui passait par là à dos de yack. »

Hamilton sourit innocemment à Dudly et continua : « Il se peut que l'avocat adverse ait ou n'ait jamais eu à envoyer des documents juridiques par yack, mais je vous assure, maître et Votre Honneur, que toutes les parties concernées ont fait de leur mieux, ce qui, bien entendu, inclut le personnel de soutien, les préposés, l'administration des Postes, les services de messagerie, le missionnaire en question, et très certainement le yack lui-même. »

Dudly lâcha : « Votre Honneur, je suis stupéfait… »

Mais tout ce que l'on entendit fut : « Votre Honneur, je suis stup… », car une autre quinte de toux à la Hamilton enterra le reste.

Dudly le pointa violemment du doigt et ajouta : « Votre Honneur, il remet ça. »

Secouant la tête d'un air incrédule, Hamilton entonna solennellement : « Votre Honneur, lorsque mon jeune et éminent confrère atteindra l'âge vénérable de quatre-vingts ans et plus, j'espère qu'il sera capable d'exercer la profession de son choix sans opposition, sans que l'avocat adverse de cinquante ans son cadet ne s'objecte et ne lui fasse remarquer chaque fois qu'il toussera. »

Je ne pus réprimer un petit rire en jouant du maillet pour ramener l'ordre.

« Messieurs, procédons avec la dignité et le professionnalisme que ce tribunal et chacun de vos clients méritent. Veuillez retourner à vos places. »

Je m'adressai ensuite ainsi aux deux avocats : « Messieurs, la Cour recevra maintenant toute requête que vous souhaiteriez lui soumettre. »

L. Myron Dudly se leva et prit la parole avec un sens de la dignité retrouvé.

« Votre Honneur, cette affaire en est une tout ce qu'il y a de plus simple. Et une fois que toutes les preuves auront été produites, je suis certain que la Cour attribuera tous les biens matériels de Howard "Red" Stevens à mes clients, en dépit de toutes les inventions juridiques et de tous les projets que, dans leur naïveté de scout, l'avocat adverse et son client ont pu échafauder. »

Je regardai Hamilton, m'attendant à une objection. Dudly marqua une pause également, en s'attendant à une riposte. Hamilton se pencha vers le jeune Jeffrey Watkins et lui demanda discrètement : « Mon garçon, pourriez-vous voir à ce que l'on nous apporte du café ? »

Watkins lui répondit d'une voix plus stridente et plus forte que nécessaire : « Je n'ai pas fait la faculté de droit pour apprendre à servir du café. »

Hamilton lui répliqua d'un ton doucereux : « Non, je suis certain que vous n'avez pas appris à servir du café à la faculté de droit, mais vous me semblez être futé, mon jeune ami, alors j'ai confiance que vous y arriverez. »

Hamilton se tourna vers Dudly, qui continuait de faire entendre sa requête.

« Votre Honneur, nous avons déposé une demande d'injonction, à laquelle cette Cour a accédé, pour que soient bloqués tous les avoirs de Jason Stevens qu'il a obtenus de Red Stevens soit avant sa mort, soit au cours de la comédie successorale qui s'est jouée après sa mort. »

Je feuilletai mes papiers pour retrouver le document en question, puis je répondis : « Me Dudly, j'ai cette ordonnance sous les yeux, et elle a été dûment passée et inscrite au registre. Où voulez-vous en venir ? »

En désignant d'un geste l'autre côté de l'allée, Dudly dit avec hésitation : « Votre Honneur, c'est Me Hamilton. »

J'interrompis Me Dudly, pour lui demander : « *Quoi* Me Hamilton ? »

Jeffrey Watkins revint alors en coup de vent s'asseoir à la table réservée aux avocats. Il remit une tasse de café à Jason, qui la passa à Theodore J. Hamilton.

Dudly poursuivit : « Votre Honneur, personne n'ignore dans le monde juridique que Me Hamilton facture des honoraires excédant un million de dollars par procès et que M. Stevens – fait que notre firme a confirmé par des vérifications juridiques – n'a aucun autre moyen de subsistance que le soutien financier de Red Stevens. »

Hamilton leva les yeux en sirotant son café, puis il prit la parole : « Votre Honneur, s'il était d'une quelconque utilité à ce stade-ci que je m'oppose à la requête de l'avocat adverse, j'aimerais assurer à la Cour que mes services ont été correctement retenus et promptement payés pour l'affaire qui nous intéresse ; cependant, j'apprécie sincèrement que M. Dud... »

Hamilton marqua une pause pour prendre une gorgée de café, avant de poursuivre : «...ly se soucie de mes honoraires et de mon bien-être financier.»

L'auditoire éclata de rire, et je le rappelai à l'ordre de mes coups de maillet retentissants.

Dudly demanda avec indignation : «Vous attendez-vous à ce que la Cour croie que vous avez reçu votre rémunération habituelle de Jason Stevens sans bénéficier de sa fiducie antérieure, ni du produit de la succession?»

Hamilton sourit, haussa les épaules, puis déclara : «Eh bien, j'ai pour habitude de recevoir une meilleure tasse de café, mais je suis prêt à accepter celle-ci en paiement intégral de tous services rendus ou devant être rendus dans le cadre de cette action en justice.»

Je ne pris pas la peine de masquer mon impatience en disant : «Si cela peut régler la question, je demanderai à Me Hamilton s'il a des requêtes à présenter à la Cour.»

Hamilton se leva pour prendre la parole comme un vieux boxeur sortant de son coin pour le dernier round d'un combat de championnat.

«Votre Honneur, je suis tout à fait certain que le testament de Howard "Red" Stevens reflétait ses intentions et ses souhaits par rapport à sa succession. Je le sais parce que Red Stevens a été mon meilleur ami pendant plus de soixante ans.»

Hamilton marqua une pause, et poursuivit avec émotion : «Et j'oserai même dire que j'étais son meilleur ami.»

Theodore J. Hamilton s'interrompit le temps de se ressaisir, puis s'attela à la tâche en déclarant : «De plus, je

peux assurer à cette cour et à toutes les parties concernées par la poursuite intentée que le testament de Red
Stevens, bien qu'il soit informel et peu conventionnel,
était et est valide et exécutoire. J'en suis certain, car j'ai
moi-même rédigé, déposé et exécuté chaque disposition
du document. »

Dudly se leva d'un air suffisant et s'enquit avec brus-
querie : « Votre Honneur, l'avocat adverse a-t-il un argument
qu'il souhaiterait apporter ? »

Hamilton fixa Dudly d'un regard capable de faire
fondre un glacier. Il marqua une pause jusqu'à ce que
Dudly soit obligé de détourner le regard, puis il reprit la
parole.

« J'ai très certainement un argument à apporter à
l'avocat adverse et à ses... »

Hamilton marqua un temps d'arrêt, comme s'il se
creusait les méninges afin de trouver le bon mot pour décrire quelque chose de mauvais goût, puis il poursuivit.

« ... ses clients. »

Avant de reprendre la parole, Hamilton jeta un coup
d'œil dédaigneux aux nombreuses rangées derrière Dudly
que des parents, rapaces, occupaient.

« Étant donné que je possède une compréhension
personnelle et intime, ainsi qu'une connaissance professionnelle et pratique, de ce qu'étaient les intentions et les
dernières volontés de Red Stevens, je tiens à ce que la
Cour reconnaisse la disposition stipulant que tout parent
perdrait immédiatement son legs de biens personnels s'il
s'avisait de mettre en doute ou de contester ce testament

ou les dispositions afférentes à la succession de Red Stevens. »

Hamilton fit les cent pas devant la table des avocats. Il permit à la bombe qu'il venait de lâcher de faire son effet. Des murmures et des grommellements se firent entendre ici et là depuis les rangées occupées par des parents derrière Dudly.

« Tout perdre ? »

« Que veut-il dire par "tout perdre" ? »

Dudly feuilleta frénétiquement la paperasse étalée devant lui.

Je fis retentir mon maillet et attendis que le silence se fasse.

« Me Hamilton, j'ai bel et bien anticipé votre requête et j'ai étudié attentivement la question. Il semblerait, sans l'ombre d'un doute, que les bénéficiaires rassemblés ici, qui ont tous conjointement contesté le testament, seront effectivement déchus de la totalité de leur héritage si la validité de ce testament est confirmée. »

J'entendis de gros soupirs, des jurons et des sanglots émaner du côté de la salle d'audience où se trouvait Dudly. Je donnai des coups de maillet pour ramener l'ordre, puis je continuai.

« Me Hamilton, votre requête est acceptée. Il semblerait que ce que nous ayons devant nous soit ce que mon ami et mentor, le vieux juge Eldridge, appelait une course de chevaux dans laquelle tout va au vainqueur. »

Je regardai Scott, qui sténographiait tout, puis je déclarai : « Pour les registres, permettez-moi de dire que la

Cour reconnaît que, si Me Dudly et ses clients réussissent à annuler le testament de Howard "Red" Stevens, ils se diviseront entre eux tout le produit ayant été précédemment attribué à Jason Stevens. Cependant, si par contre Me Hamilton parvient à défendre le legs de biens personnels fait à Jason Stevens, tout autre héritage sera annulé et ajouté à la succession actuellement au nom de Jason Stevens.»

Le gant était jeté. On jouait le tout pour le tout.

Je me levai, je fis retentir mon maillet pour la forme, puis je déclarai: «L'audience est suspendue pendant une heure.»

Je dévalai les marches quatre à quatre, franchis le seuil de la porte d'acajou et cherchai à reprendre mon souffle dans l'intimité confortable et familière de mon cabinet. Je n'avais jamais envisagé de juger une affaire à la fois aussi simple et aussi compliquée que celle-là. Elle se trouvait amplifiée du fait que l'attribution de milliards de dollars dépendait de ma décision.

J'arpentai la pièce toute l'heure durant, à considérer la vie de Red Stevens, ses intentions envers Jason et les fabuleux dons qu'il lui avait faits.

Je savais que, quels que puissent être mes sentiments, je me devais de bien tenir compte des enfants de Red Stevens, qui souhaitaient hériter d'une part encore plus grande de sa succession. Beaucoup plus grande. En réalité, ils voulaient tout obtenir. Toutefois, je devais également tenir compte de Jason Stevens, en déterminant s'il avait ou non maîtrisé chacun des dons qui lui étaient échus et, par conséquent, s'il avait droit à plusieurs milliards de dollars. Et, finalement, après avoir entendu tous les arguments de la partie adverse, je devais être la voix de la personne dont les volontés étaient de la plus haute importance, mais qui n'était pas là pour parler en son propre nom. Je devais entrer dans l'esprit et le cœur de Howard "Red" Stevens.

—⁓—

En regagnant ma place dans la salle d'audience et en signifiant aux gens d'un signe de tête qu'ils pouvaient s'asseoir, je remarquai deux nouvelles personnes à la table de Me Hamilton. Près de Jason, je reconnus sa belle fiancée, Alexia. Au cours de la dernière année, elle avait été presque omniprésente dans la couverture médiatique qui avait entouré la quête du don ultime de Jason. Et assise aux côtés de Theodore J. Hamilton se trouvait comme elle l'avait fait dans une multitude de procès depuis presque un demi-siècle son adjointe, Margaret Hastings. Mlle Hastings était une de ces beautés saisissantes lorsqu'elle était jeune, et le passage des années lui allait aussi bien qu'à un grand cru. En fait, elle était plus belle que jamais.

Je fis retentir mon maillet dans toute la salle d'audience, puis j'ouvris la séance.

«Statuer sur la validité d'un testament s'inscrit parmi les tâches les plus critiques du droit, car il faut pour cela que la Cour fasse respecter les droits d'une personne et parler au nom de celles qui ne sont plus là pour se faire entendre. J'avais longuement examiné le testament de Howard "Red" Stevens, y compris les documents dans lesquels il avait mis par écrit ses pensées, ses désirs et ses intentions en décrivant le don ultime comme un legs qu'il faisait à Jason Stevens.

«La Cour n'ayant reçu aucune preuve du contraire, ni contestation déclare que Howard "Red" Stevens était sain de corps et d'esprit au moment de la rédaction de son testament. La Cour déclare également que, même s'il est peu conventionnel et plutôt révolutionnaire, le testament de Red Stevens est valide et exécutoire si toutes les conditions qu'il renferme sont respectées. Par conséquent, la seule question sur laquelle la Cour doit encore statuer consiste à déterminer si Jason Stevens a bel et bien exécuté chacune des dispositions établies dans le testament de Howard "Red" Stevens.»

Je fis une pause assez longue pour permettre à l'une ou à l'autre des équipes juridiques de faire objection si elle le souhaitait. Toutefois, n'en recevant heureusement aucune, je continuai.

« Le testament et les documents fiduciaires ultérieurs exigent que plusieurs milliards de dollars soient légués à Jason Stevens, afin de lui permettre d'accomplir la mission et de transmettre le message portant sur les douze éléments du don ultime tel que Red Stevens l'a élaboré et présenté. La Cour aura pour tâche de déterminer si Jason Stevens a ou non compris suffisamment bien chacune des douze leçons pour être en mesure d'accomplir la mission que sous-tendent ces leçons, s'il obtient les ressources que représentent plusieurs milliards de dollars.

«Par conséquent, je déclare qu'à compter de 10 heures demain matin dans cette même salle d'audience nous accorderons à Jason Stevens autant d'occasions que nécessaire d'expliquer et de démontrer qu'il a compris chacune des leçons que Red Stevens lui a proposées sous la forme de douze dons, et qu'il est à la hauteur de la tâche consistant à employer plusieurs milliards de dollars à transmettre le don ultime à un monde qui en a grand besoin. »

Je marquai une pause, et notai la tension incroyable que génère le fait de voir plusieurs milliards de dollars et la vie d'innombrables personnes être mis en jeu. Après avoir donné quelques coups de maillet, j'annonçai : « L'audience est suspendue. »

Je me rendis de la salle d'audience à mon cabinet d'un pas si pressé qu'il fit onduler et tourbillonner ma toge. J'entendais le choc, l'enthousiasme et l'angoisse gagner l'auditoire. Les très nombreux représentants des médias s'empressèrent de quitter la salle d'audience pour aller informer les lecteurs, les auditeurs et les téléspectateurs du monde entier de la décision que je venais de rendre.

Du coup, je ne me sentis pas suffisamment compétent pour accomplir la tâche intimidante qui m'était confiée. Je ne pouvais qu'espérer et prier que mes années d'expérience en tant que juge me conduiraient sur le bon chemin, et par conséquent à la bonne décision, c'est-à-dire la plus équitable.

Seuls les événements du lendemain et des jours suivants en décideraient.

*Dans la vie, le travail est l'apogée
de tout ce que nous sommes
et de tout ce que nous apprenons et
apportons aux gens par notre travail.*

Trois

LA VIE DU TRAVAIL

J e passai la nuit à me tourner et à me retourner. Je n'arrivais pas à me sortir le procès de l'esprit. Tous les juges qui siègent dans tous les palais de justice du pays ont énormément de pain sur la planche, mais dans ma salle d'audience et dans l'esprit des gens du monde entier, le litige entourant la succession de Red Stevens en était venu à être connu simplement comme *Le Procès*.

Au cœur de la nuit, je finis par sortir du lit et me rendre dans mon bureau pour y allumer la télé. Je me disais qu'une émission bêtifiante me changerait peut-être les idées. En zappant, il me sembla qu'on ne faisait que communiquer partout des nouvelles, des commentaires, des profils, des hypothèses ou des fables de tabloïdes au sujet de Red Stevens, de Jason Stevens et du procès.

On parlait abondamment de L. Myron Dudly dans les médias. J'avais compris depuis le début que ce procès deviendrait inévitablement un véritable cirque médiatique, ce qui fait qu'au lieu d'essayer de le contrôler je laisserais

simplement les choses suivre leur cours. Toutefois, Mᵉ Dudly
tirait manifestement le meilleur parti de la situation.

—ɯ—

Tandis que le soleil se hissait à contrecœur au-dessus
de l'horizon et que les étoiles cédaient leur domaine, un
autre jour naquit. Je me trouvais dans mon cabinet, en
sécurité dans mon fauteuil de cuir bien incliné, en train
de siroter ma troisième tasse de café tout en contemplant
ce qui avait été et ce qui allait être. Par la fenêtre, je
regardai le paysage urbain.

La plupart des palais de justice furent construits pour
durer. Un grand nombre le furent en calcaire ou en marbre.
Ils furent conçus et érigés bien en vue au cœur des com-
munautés partout aux États-Unis. Au cours des décennies
qui suivirent leur construction, beaucoup de ces commu-
nautés se déplacèrent vers les banlieues, laissant leurs palais
de justice, y compris le mien, au milieu des quartiers défavorisés en proie à la dégradation urbaine.

Par ma fenêtre, je pouvais voir plusieurs immeubles
abandonnés, ainsi que plusieurs autres qui auraient dû
l'être. Au milieu de tout cela, il y avait un îlot vide où,
dans un passé lointain, des bulldozers avaient détruit tout ce
qu'il y avait eu sans que rien ne vienne y prendre racine.
Depuis aussi loin que je pouvais me le rappeler, on parlait
et on faisait courir des rumeurs au sujet de la possibilité
d'y créer un parc urbain, mais les fonds et les priorités
semblaient toujours être accordés à autre chose.

Même s'il restait encore plusieurs heures avant que l'audience ne soit ouverte, je savais que ma partie de l'action en justice devait commencer immédiatement. Je retirai du volumineux dossier de l'affaire ma copie imprimée du testament de Red Stevens et mes copies sur DVD des messages vidéos que Red Stevens avait créés à l'intention de Jason dans le cadre du don ultime.

Je choisis le DVD intitulé *Le don du travail*, que je glissai à l'intérieur du lecteur encastré dans la console murale. L'audience de ce jour-là allait servir à déterminer si Jason avait accompli ou non les tâches que Red Stevens lui avait confiées par rapport au don du travail. J'allais devoir déterminer si Jason Stevens était apte ou non à appliquer les leçons apprises par le don du travail de manière à ce que le monde en bénéficie grâce à l'immense fiducie que Red Stevens avait donnée en héritage.

Lorsque le lecteur de DVD s'anima et que le visage imposant de Red Stevens apparut à l'écran, j'appuyai sur le bouton «pause» et je fixai du regard l'image radieuse que j'avais devant moi. Howard "Red" Stevens était, certes, un personnage historique. Il n'était pas aisé de séparer la vérité du mythe et de la légende. Je m'imaginai les émotions et le tumulte qui devaient tenailler la personne qui sait que sa vie touche à sa fin, mais qui espère laisser après sa mort un message qu'elle n'était pas parvenue à communiquer de son vivant.

J'appuyai sur le bouton «play» et Red Stevens se mit à parler à son petit-fils au-delà de la tombe.

«Jason, lorsque j'étais bien plus jeune que tu ne l'es aujourd'hui, j'ai découvert la satisfaction que pouvait renfermer un mot tout simple : *travail*. Une des choses dont ma fortune vous a privés, toi et toute ma famille, c'est le privilège et la satisfaction que procure une bonne journée de travail.

« Maintenant, avant que tu prennes le mors aux dents et que tu rejettes tout ce que je vais te dire, je veux que tu comprennes que c'est le travail qui m'a permis d'obtenir tout ce que j'ai et tout ce que tu as. Je regrette de t'avoir privé de la joie de savoir que ce que tu possèdes, c'est ce que tu as gagné.

« Mes plus vieux souvenirs remontent au temps où je travaillais dans les marais de la Louisiane. Je détestais royalement ce travail éreintant, mais mes parents avaient trop de bouches à nourrir et pas assez de nourriture, donc, pour manger, il fallait travailler. Plus tard, lorsque j'ai volé de mes propres ailes et que je suis venu au Texas, j'ai réalisé que j'étais désormais rompu au dur labeur, ce qui m'a procuré une joie réelle pendant le reste de mes jours.

« Jason, tu as goûté à tout ce que ce monde peut offrir de meilleur. Tu es allé partout, tu as tout vu et tu as tout fait. Ce que tu ne comprends pas, c'est tout le bonheur que ces choses peuvent te procurer lorsque tu les acquiers par toi-même, lorsque les loisirs deviennent une récompense pour ton dur labeur, plutôt qu'un moyen d'éviter de travailler. »

J'éteignis le lecteur de DVD, pour réfléchir aux paroles et à l'esprit de Red Stevens. Je ne pus m'empêcher de penser à ma propre vie professionnelle et de considérer dans quelle mesure j'avais appliqué le don du travail à ma vie ; mais la véritable question était de savoir dans quelle mesure Jason avait appris et était apte à transmettre le don du travail à d'innombrables autres personnes du monde entier.

—ɯ—

La salle d'audience était bondée. L'électricité et la tension semblaient même s'être accrues depuis la veille. Je fis claquer mon maillet et j'ouvris l'audience sans autre préambule.

«La question à débattre devant la Cour aujourd'hui concerne les conditions du testament de Howard "Red" Stevens relatives au don du travail. La cour décidera si Jason Stevens a bien appris la leçon propre au don du travail et, plus important encore, s'il est apte à gérer plusieurs milliards de dollars en fiducie de manière à transmettre cette leçon et ce don à d'autres.»

Je jetai un bref coup d'œil à Theodore J. Hamilton, qui prenait tranquillement des notes en écoutant mes remarques d'introduction. Je poursuivis: «Me Hamilton, comme c'est vous qui avez rédigé, exécuté et évalué le testament de Red Stevens, la Cour présume que vous le jugez être en règle.»

Pour la forme, Hamilton me le confirma d'un signe de tête, et je reportai mon regard sur l'autre côté de l'allée. L. Myron Dudly, le reste de l'équipe juridique de Dudly, Cheetham et Leech et l'ensemble des héritiers de Red Stevens étaient chacun à leur place. On semblait considérablement plus angoissé que la veille. C'était logique, puisque la famille, qui avait cru n'avoir rien à perdre et tout à gagner, réalisait maintenant qu'elle risquait en réalité de perdre jusqu'au dernier centime.

Je m'adressai à l'avocat des requérants. « Mᵉ Dudly, étant donné que vos clients contestent la validité du testament de Red Stevens en ce qui concerne l'accomplissement par Jason des tâches y étant stipulées, je vous permettrai de commencer. »

Dudly se leva avec assurance, marqua une pause qui en disait long, puis déclara : « Nous appelons Jason Stevens à la barre. »

Jason se leva et se rendit d'un pas hésitant jusqu'à la barre des témoins. On l'y fit s'asseoir, puis prêter serment de dire la vérité, toute la vérité et rien que la vérité.

Dudly s'approcha de la barre et sourit à Jason d'un air sarcastique en lui demandant : « Vous êtes Jason Stevens ? »

Jason le lui confirma d'un signe de tête et d'un « oui » qu'il prononça d'un air penaud.

Dudly se tourna vers l'auditoire et dit en décrivant un grand geste : « Veuillez parler plus fort, pour que tout le monde vous entende. »

Après avoir fait les cent pas, Dudly lui demanda : « Quels liens aviez-vous avec Howard "Red" Stevens ? »

Jason lui répondit avec prudence : « C'était mon grand-père. »

Semblant choqué et perplexe, Dudly le questionna : « Êtes-vous bien certain qu'il était votre grand-père ? »

D'un air abasourdi, Jason le lui affirma de nouveau : « Oui. »

Dudly lui sourit victorieusement, puis continua : « Pourriez-vous alors dire à la Cour et à tout l'auditoire pourquoi chaque fois, aussi rares fussent-elles, que vous faisiez allusion à Howard "Red" Stevens vous le désigniez comme étant un oncle que vous connaissiez peu ou votre grand-oncle ? »

Jason s'empourpra et baissa les yeux. Après avoir fait une longue pause, il commença : « Howard "Red" Stevens était mon grand-père. C'était le père de mon père. Il s'agit d'un fait que je n'ai jamais apprécié. En réalité, j'en ai eu honte toute ma vie, jusqu'à ce qu'il nous quitte. Je lui faisais porter le blâme de tout ce qui clochait dans ma vie, et je le tenais pour responsable de la mort de mon père. Ce n'est qu'après la mort de mon grand-père que j'en suis venu à comprendre qu'il avait tenté de venir en aide à mon père et que mon père était mort dans un accident qui n'avait rien à voir avec lui. Ce n'est qu'après avoir reçu le don ultime que j'ai pu dire que j'étais fier d'être le petit-fils de Red Stevens et lui être reconnaissant de tout ce qu'il m'avait enseigné. »

Jason fixa Dudly d'un air de défi, tandis que celui-ci reprenait la parole : « Nous devons donc comprendre que vous vous sentez en droit et que vous jugez mériter d'hériter de plusieurs milliards de dollars de la part d'une personne dont vous avez eu honte et dont vous avez nié être le petit-fils pendant toute son existence. »

« Oui », déclara Jason d'une voix rauque.

Dudly posa un regard suffisant sur l'auditoire et sur moi, puis le ramena à Jason et déclara : « C'est scandaleux. C'est tout à fait scandaleux. »

Hamilton l'interrompit avec force : « Objection, Votre Honneur ! Pourrait-on demander à l'avocat adverse de garder ses opinions et ses réactions pour un moment et un lieu qui conviendraient mieux ? Les legs de Red Stevens et les raisons qui l'ont motivé à les faire ne sont aucunement sujets à l'approbation ou aux opinions de Me Dudly. »

Je donnai un coup sec de maillet pour la forme et j'admis l'objection en faveur de Me Hamilton.

Sans se laisser démonter, Dudly se mit à bombarder Jason de questions.

« Vous est-il déjà arrivé, ne serait-ce qu'une seule fois dans toute votre vie, de postuler un emploi ? »

« Non », répondit Jason.

« Vous est-il déjà arrivé, ne serait-ce qu'une seule fois dans toute votre vie, de travailler pour subvenir à vos besoins ? »

Jason marqua une pause, comme s'il réfléchissait, puis secoua la tête en répondant que non.

« Vous voulez bien décrire à la Cour et à nous tous réunis ici la courte expérience que vous avez faite au ranch du Texas l'année dernière ? »

Jason se redressa sur sa chaise et commença : « Mon grand-père m'a enseigné le don du travail en m'envoyant travailler dans le ranch avec Gus Caldwell. »

Après lui avoir souri et lui avoir fait un signe de tête, Dudly lui demanda : « Alors, quelles sortes d'expériences de travail avez-vous faites au cours de votre séjour de trente jours dans le ranch ? »

Jason répondit : « J'ai creusé des trous pour y planter des piquets et j'ai bâti une clôture. »

«Et quoi d'autre?» s'enquit Dudly.

Semblant confus, Jason secoua la tête et répliqua:
«Rien d'autre.»

Dudly insista: «Alors, serait-il juste de dire que toute
votre expérience de travail et que la totalité de vos anté-
cédents professionnels se résument à un séjour de trente
jours au cours duquel vous n'avez fait rien d'autre que de
bâtir une clôture? Diriez-vous que cela vous a rendu apte,
d'une quelconque manière, à gérer des milliards de dollars et à aider d'autres personnes à comprendre le don du
travail?»

Jason haussa les épaules et balbutia quelque chose
d'inaudible.

Dudly retourna à sa table, en s'exclamant: «Le témoin
peut se retirer. Nous appelons à la barre un dénommé…»
Dudly marqua une pause, tandis qu'il feuilletait sa paperasse, puis annonça: «… Gus Caldwell.»

On aurait cru qu'une page d'histoire ou Americana
s'était avancée dans l'allée de ma salle d'audience. Gus
Caldwell posa solennellement la main sur la Bible et prêta
serment. Il nous salua respectueusement, Me Hamilton et
moi, d'un signe de tête.

Dudly réprima à peine un ricanement en déclarant
sur le ton d'une question: «Alors, c'est vous Gus Caldwell?»

Gus Caldwell garda le silence jusqu'à ce que la situation devienne embarrassante, comme seule une personne
extrêmement sûre d'elle peut le faire, puis répondit:
«Oui, fiston, je suis Gus Caldwell. Et vous, qui êtes-vous
donc?»

On entendit des rires fuser de toutes parts dans la salle. Je ramenai l'ordre d'un coup sec de mon maillet.

D'un air indigné, Dudly lui rétorqua: «Moi, monsieur, je suis L. Myron Dudly. Je suis avocat, et certainement pas votre fils.»

Gus Caldwell s'adossa, sourit de toutes ses dents et lui répondit: «Non, j'imagine bien que vous ne l'êtes pas. C'est juste une autre de ces nombreuses choses pour lesquelles je suis reconnaissant au Tout-Puissant.»

Les rires fusèrent de partout dans la salle d'audience, et je ne pus moi-même réprimer mon propre rire tandis que j'exigeais par mes coups de maillet que l'auditoire fasse silence et rétablisse l'ordre.

Dudly marqua une pause, retrouva sa dignité, puis opta pour une tactique différente.

«M. Caldwell, pourriez-vous décrire à la Cour la nature et l'étendue de votre sphère d'activités professionnelles?»

Gus Caldwell en cita la liste par cœur: «J'élève des vaches et des chevaux. Je cultive le blé, de même que diverses autres choses. Je possède des puits de pétrole, des puits de gaz naturel. Je possède aussi en partie des banques, des centres commerciaux et certaines autres choses dans lesquelles je ne m'y connais pas trop.»

Dudly hocha la tête comme s'il comprenait, puis il continua: «Parmi toutes les tâches, tous les emplois et toutes les positions qu'offrent vos diverses entreprises, pourriez-vous nous aider à comprendre la portée et la nature de l'expérience de travail que vous avez procurée à Jason Stevens?»

Acquiesçant d'un signe de tête, Gus répondit brusquement : « Il a bâti une clôture. »

Dudly répéta : « Il a bâti une clôture. Oui, je vois. »

Dudly sembla réfléchir un instant, avant de demander : « Pourriez-vous nous aider à comprendre en quoi le fait de passer trente jours à bâtir une clôture pourrait bien permettre à quelqu'un à qui l'on a confié des milliards de dollars pour aider des gens, entre autres choses, à comprendre le don du travail ? »

Secouant la tête avec tristesse comme s'il s'apprêtait à s'adresser à un enfant, Gus Caldwell déclara : « Fiston, la personne qui est capable de bâtir une bonne clôture est capable de tout faire. La nature du travail ne compte pas autant que la nature de la personne. N'importe qui peut apprendre à faire un travail, mais rares sont ceux qui comprennent la fierté, la dignité et l'honneur dont s'accompagne un travail bien fait. Mon équipement en est venu à valoir beaucoup d'argent, et j'arrive à m'occuper de tout, et je ne l'ai jamais obtenu d'un livre. J'imagine que j'en ai beaucoup appris sur le travail et sur la vie en travaillant dur comme en bâtissant un kilomètre de clôture. »

Dudly hocha la tête, comme si lui et toutes les autres personnes de l'auditoire l'ayant entendu étaient déçus de sa réponse, puis retourna à sa table en déclarant dédaigneusement : « Votre Honneur, je crois que nous avons appris tout ce qu'il était possible d'apprendre de ce témoin. »

Gus Caldwell leva vers moi un regard interrogateur. Je lui souris et lui fis signe de la tête en lui disant : « M. Caldwell, la Cour vous remercie d'être venu ici aujourd'hui. »

51

Gus se leva et répondit : « Monsieur, vous n'avez pas à me remercier. Pour Red Stevens, je ferais tout ce que vous pourriez imaginer et certaines choses que vous n'imagineriez pas. »

Gus Caldwell ressortit de ma salle d'audience par l'allée centrale avec tous les yeux rivés sur lui.

Je finis par ramener mon regard sur Dudly et lui demander : « Me Dudly, avez-vous d'autres témoins à faire comparaître ? »

« Non, Votre Honneur, répondit-il. Je crois que nous en avons entendu plus qu'assez de la part de M. Caldwell et de M. Jason Stevens en personne pour comprendre que ce jeune homme... » Dudly montra Jason du doigt en parlant « ... ignore tout et ne peut rien savoir du monde du travail en ce qui le concerne personnellement, et qu'il possède encore moins la capacité et la compréhension nécessaires pour gérer des milliards de dollars destinés à venir en aide aux autres. »

Je me calai dans mon fauteuil et je fixai Me Dudly du regard en réfléchissant à la situation.

Ensuite, Hamilton se leva pour prendre la parole : « Votre Honneur, la question qui intéresse cette cour n'est pas de savoir quelle opinion Me Dudly entretient au sujet du testament de Red Stevens, ni même l'opinion que Me Dudly entretient au sujet des habitudes de travail de Jason Stevens. La question qui intéresse cette cour est plutôt simple : Jason Stevens comprend-il le don du travail et a-t-il transmis cette leçon à d'autres au moyen des ressources que son grand-père lui a laissées. Je crois et les dernières volontés de son grand-père exigent qu'on lui donne la chance de prouver une fois pour toutes qu'il en est digne.»

Hamilton s'assit comme si la question avait été tranchée et, effectivement, elle l'avait été. Je regardai furtivement chaque avocat, puis je rendis ma décision.

«La Cour a décidé d'accorder à Jason Stevens trente jours pour prouver, par ses propres moyens et à sa manière, qu'il comprend le don du travail et qu'il possède bel et bien ce qu'il faut pour transmettre à d'autres le don du travail qu'il a reçu de Red Stevens. Si, au terme des trente jours, la Cour juge sa preuve satisfaisante, nous passerons au don suivant. Dans le cas contraire, le testament sera annulé, et les avoirs de la fiducie de Red Stevens seront répartis au pro rata entre les héritiers qui sont partie à cette instance.

«L'audience est suspendue.»

—⁓—

Au cours des jours qui suivirent, le procès fit l'objet d'une couverture médiatique incessante et inégalée. Dudly, Cheetham et Leech défraya les manchettes suffisamment pour durer toute une vie, alors que Hamilton dut se trouver un endroit où échapper aux médias. On disait, sans trop de fiabilité, avoir vu Jason Stevens ici et là. Mais, à dire vrai, nous étions tous tenus dans l'ignorance.

Je me demandai si j'avais fait la bonne chose par rapport à Jason Stevens et, plus important encore, à Red Stevens. Cette tâche était-elle raisonnable, et était-elle même possible?

Au cours des semaines qui suivirent, je m'acquittai du reste de ma charge de travail et je m'efforçai de me concentrer sur d'autres affaires.

—ɯ—

Puis, un jour inoubliable arriva. Comme d'habitude, j'étais assis dans mon fauteuil de cuir avec ma tasse de café tandis que le jour pointait lorsque je vis quelque chose que mon esprit se refusait à enregistrer. La vue qui s'offrait normalement à moi lorsque je regardais par la fenêtre panoramique de mon cabinet était celle du soleil levant, ainsi que d'immeubles abandonnés et d'autres qui tombaient en ruine. Je pouvais y voir le terrain vague où les bulldozers avaient laissé leur trace, mais quelque chose, en fait tout, était différent, tant en esprit qu'en pratique.

Tandis que le jour naissait, je vis une clôture de piquets de style texan se matérialiser autour du terrain antérieurement vague. Le quartier fourmillait de jeunes, en réalité des membres de gangs, en train de vaquer à diverses tâches, dont certaines m'apparaissaient clairement, alors que d'autres restaient un mystère.

Tandis que le jour mûrissait, le soleil levant révéla des camions de livraison en train de décharger des matériaux de construction et de l'équipement de terrains de jeux. Des marchands, des leaders du monde des affaires et des résidants du quartier formèrent des groupes autour du périmètre, et plusieurs fourgonnettes de la télévision apparurent pour couvrir les événements qui s'y déroulaient.

Je me doutais bien de ce qui était en train de se produire. Je souris, puis je ris tout haut, dans l'intimité de mon cabinet. Il me tardait déjà de voir arriver le jour où, bientôt, la réalité de cette situation serait exposée dans mon tribunal.

—⁓—

Je saluai tout l'auditoire rassemblé dans la salle d'audience en donnant des coups secs de mon maillet pour imposer l'ordre.

« Bonjour. Cette audience a pour but de déterminer une fois pour toutes si Jason Stevens s'est acquitté de ses tâches et est apte à assumer les responsabilités qui le concernent dans le testament de Howard "Red" Stevens. La Cour demande à Jason Stevens de s'avancer à la barre. »

Jason s'avança avec assurance à la barre des témoins, s'empressa de prêter serment et s'assit sur le bord de la chaise. Je fis signe à Me Hamilton de poursuivre.

Hamilton resta simplement assis à la table des avocats, leva le regard vers Jason et lui dit : « Jason, pourquoi ne leur diriez-vous pas ce qui s'est passé. »

Jason marqua une pause, inspira profondément, puis se lança : « Eh bien, chaque fois que je suis venu au palais de justice et que j'en suis reparti le mois dernier, j'ai dû longer à pied un îlot vide situé un peu plus loin dans la rue. J'ai entendu plusieurs personnes du quartier mentionner combien elles souhaitaient depuis des années voir un parc être aménagé à cet endroit précis. Il semblerait que des pétitions, des levées de fonds, des manifestations et des poursuites judiciaires aient eu lieu, mais que tout cela n'ait jamais rien donné.

«Mon grand-père m'a enseigné, par ses paroles et sa vie, le pouvoir que possède la personne qui a une vision et qui est prête à se mettre tout simplement au travail.

«Après que l'audience a été suspendue le mois dernier, je me suis rendu à ce terrain vague et, parmi les décombres, j'ai trouvé quelques vieux poteaux de ligne de transmission en bois. Je me suis simplement procuré quelques outils, j'ai coupé ces poteaux et j'ai fait la seule chose que je savais faire. J'ai commencé à bâtir une clôture autour du terrain inoccupé. C'est alors que des jeunes, des ados, des retraités et toutes sortes d'autres personnes se sont présentés sur les lieux pour me demander ce que je faisais. Je leur ai fait savoir que ce serait un parc si nous étions tous prêts à y croire et simplement à y travailler. Je leur ai dit que, pour y arriver, nous n'avions pas besoin du gouvernement, d'obligations, de poursuites judiciaires et de manifestations. Tout ce dont nous avions besoin, c'était d'un grand rêve et d'un peu de travail.

«Pendant que je bâtissais la clôture, des jeunes se sont mis à nettoyer le coin. Des leaders du monde des affaires ont fait le nécessaire pour y faire pousser du gazon et y faire planter des arbres. Plusieurs entrepreneurs se sont servis du béton qui leur restait d'autres projets pour construire un trottoir et un parking. Et puis...»

D'un air humble, Jason marqua une pause, leva les yeux vers moi et me dit: «Votre Honneur, je pense que, si vous vous rendez là-bas, vous pourrez constater que nous y avons créé un parc.»

Une salve d'applaudissements retentit dans toute la salle d'audience. Je tendis la main pour saisir mon maillet, afin de ramener l'ordre, mais je décidai de laisser les applaudissements continuer quelques instants avant d'intervenir.

Je souris à Me Hamilton, puis à Jason, en prenant la parole.

«Qu'on inscrive au registre que la Cour déclare que Jason Stevens a fait la preuve non seulement qu'il a compris le don du travail, mais aussi de sa mystérieuse capacité de le transmettre à d'autres. Nous examinerons la question du prochain don, celui de l'argent, à 10 heures demain matin. L'audience est suspendue.»

*L'argent est le fruit de nos efforts
et le carburant nécessaire à la
réalisation de nos rêves.*

Quatre

LA VIE DE L'ARGENT

J'aime me promener d'un bon pas, regarder le soleil se lever et me trouver dans un parc agréable. Le lendemain matin, je faisais les trois en même temps. Le fait de regarder le soleil pointer à l'horizon ponctue la journée d'une certaine émotion.

Ma tendre épouse, Marie, éprouve la même chose lorsqu'elle contemple le soleil à l'horizon. Toutefois, elle trouve que le coucher du soleil convient mieux à son programme que le lever du soleil.

L'air était frais et pur ce matin-là dans le parc. Ce n'était pas n'importe quel parc. Je me promenais dans le nouveau Parc urbain Howard "Red" Stevens, comme l'enseigne l'indiquait à l'entrée. L'enseigne m'informa aussi, de même que tous ceux qui y entraient, de ceci: «Ce parc est dédié aux gens de cette communauté qui y ont travaillé d'arrache-pied.»

Vu du parc, le lever du soleil était magnifique. Je me trouvais assez près du palais de justice pour voir le soleil levant se refléter sur la fenêtre panoramique de mon cabinet. Toutefois, je fus frappé de voir combien une vue différente peut complètement changer notre perception du monde. Cela me sembla être une bonne chose à se rappeler pour un juge, tant au sens figuré qu'au sens propre. En effet, les juges doivent souvent se servir de la loi et de leurs facultés intellectuelles pour en venir à rendre une décision qui s'oppose à celle que leur cœur souhaite leur faire rendre.

Je pris place sur un banc du parc et me mis à observer, entre autres choses, une jeune femme en assez bonne forme, qui portait un vêtement de jogging d'allure spatiale et ajusté, en train de courir autour du parc suivie de près par son chien. Ce dernier était un mélange de labrador et de terrier. Lorsque les deux arrivèrent à l'espace vert du parc devant moi, ils s'y arrêtèrent, semblant avoir terminé leur parcours.

La jeune femme sortit de son sac à dos une balle de tennis. Elle lança la balle à courte distance, et son chien se jeta dans l'action, saisit la balle et la lui ramena. Elle refit la même chose plusieurs fois, sous mon regard nonchalant. Puis, elle sortit de son sac à dos plusieurs autres balles de tennis. Cette fois-ci, lorsque le chien lui revint, elle lança deux balles à la fois. Le chien était très habile. Il parvint à les attraper toutes les deux et à les ramener dans sa gueule à sa jeune maîtresse.

Elle lui en lança alors quatre à la fois. Le chien se lança rapidement à la poursuite des balles. La perspective d'attraper quatre balles de tennis à la fois le faisait frétiller comme un enfant dans une boutique de friandises ;

toutefois, il ne parvint pas, malgré tous ses efforts, à saisir dans sa gueule les quatre balles en même temps.

Tandis que je savourais le spectacle à distance, je ne pus m'empêcher de repenser à l'affaire Stevens. La veille, j'avais vu plusieurs bulletins de nouvelles dans lesquels apparaissaient Me Dudly avec Jack, le fils de Red Stevens, à sa remorque. J'avais été frappé de voir que, même si Jack Stevens avait hérité de plusieurs centaines de millions de dollars, cela ne semblait pas lui suffire. Il risquait de tout perdre parce qu'il en voulait davantage.

La frustration et l'agitation du chien s'accrurent chaque fois qu'il ramassait une ou deux balles de tennis, car elles lui échappaient lorsqu'il tentait d'en saisir une troisième dans sa gueule.

En me levant du banc et en me mettant en route vers le palais de justice, je vis le chien, dont la frustration était à son comble, se mettre à courir en rond, à hurler et à se rouler par terre les quatre pattes en l'air.

En passant à côté de lui, je lui dis : « Tu me rappelles certains êtres humains que je connais. »

Il redressa la tête et se mit à grogner. Je n'eus pas l'impression que la comparaison lui avait plu.

Je saluai la jeune femme de la main et lui souris en la croisant. En désignant son chien du doigt, elle me dit : « Parfois, il n'est pas très futé. »

Je lui répondis en riant : « Ce sont des choses qui arrivent même dans les meilleures familles. »

Il me tardait d'aller manger avec Marie le soir même dans un de nos restaurants préférés. Je me disais que la leçon que j'avais apprise auprès de la jolie jeune fille vêtue de Spandex et de son chien ne manquerait pas de la fasciner. Cependant, j'avais une longue journée à passer en cour et bien du chemin à faire avant d'aller dîner avec Marie.

—m—

«La Cour!» entonna Paul, mon greffier, d'un ton morne, tandis que je gravissais les trois marches bien connues et que je m'assoyais à mon poste. J'appelai l'auditoire à l'ordre de quelques coups de maillet et je rassemblai mes pensées.

J'avais espéré que l'avocat de la famille Stevens respecterait ma décision de la veille sans la contester ou s'y objecter, mais je n'y croyais pas trop.

«Votre Honneur», dit Dudly pour attirer mon attention.

Je lui lançai un regard furieux et lui demandai: «Oui, qu'y a-t-il?» en voyant se réaliser mes craintes.

Il me répondit: «Il y a un certain nombre d'objections et de requêtes que la justice et la gravité de l'affaire exigent que nous soumettions à la Cour.»

J'acceptai mon sort d'un signe de tête.

Il poursuivit: «Votre Honneur, nous nous objectons d'abord et avant tout à ce que les escapades de M. Stevens dans le parc soient considérées comme le travail auquel Red Stevens faisait allusion par rapport au don du travail qu'il a décrit dans ses documents testamentaires. Jason

Stevens n'a reçu ni argent, ni rémunération, pour ses efforts; par conséquent, nous croyons qu'il n'a effectué aucun travail, pas plus qu'il ne possède la capacité d'amener des gens à comprendre et à accomplir leur travail en se servant de la fiducie de Red Stevens. Dans l'affaire qui nous intéresse, le fait que M. Stevens n'ait pas gagné d'argent rend ses efforts inutiles.»

Me Hamilton s'éclaircit la voix et lança avec désinvolture: «Votre Honneur, si le fait de ne pas gagner d'argent au moyen d'un travail rend quelqu'un inutile, les clients de Me Dudly doivent être jugés inutiles. Nous croyons que les désirs de Red Stevens étaient très clairs et que Jason Stevens a de beaucoup dépassé les exigences du testament.»

D'un signe de tête affirmatif, je lui répondis: «Je dois vous donner raison, Me Hamilton.»

Je posai ensuite mon regard sur Me Dudly, à qui je déclarai: «Objection rejetée.»

Dudly tourna la page de ce qui semblait être un long document inquiétant.

Puis, il poursuivit: «Votre Honneur, nous insistons pour nous objecter aux activités non autorisées, contraires à l'éthique et, disons-le, illégales que M. Stevens en est venu à appeler lui-même un parc urbain.»

Me Dudly prononça les mots *parc urbain* comme s'ils étaient de mauvais goût et indignes de lui.

La patience allait bientôt me manquer. En pointant mon maillet dans sa direction, je lui dis: «Maître, si vous voulez en venir à quelque chose dans tout ça, j'aimerais que vous le fassiez maintenant.»

L. Myron Dudly s'empourpra légèrement et se racla la gorge. Il savait être sur un terrain glissant, mais il se ressaisit et continua sur sa lancée.

«Votre Honneur, pour accomplir correctement ses activités au cours du dernier mois, il aurait fallu que M. Jason Stevens se procure auprès de la Ville et du comté des permis de bâtir, ainsi que des dérogations du droit de passage, règle les questions d'emploi et respecte les lois régissant la main-d'œuvre enfantine. De plus, son fonds en fiducie et le produit de la succession ont tous été bloqués, et comme Me Hamilton semble travailler pour le prix d'une tasse de café, il y a manifestement eu dans cette histoire certaines irrégularités financières, sinon de véritables détournements illégaux.»

Theodore J. Hamilton se racla bruyamment la gorge et se leva de toute sa hauteur d'un air solennel.

«Votre Honneur, si vous me le permettez, il se peut que j'arrive à lever le voile que Me Dud...»

Pris d'une de ses courtes quintes de toux, Hamilton ne se donna pas même la peine de prononcer la seconde syllabe du nom de Me Dudly.

Dudly se leva d'un bond et frappa la table de son poing serré.

«Votre Honneur, pendant combien de temps encore devrai-je supporter ces outrages?»

D'un air innocent, Hamilton regarda Dudly et lui dit: «C'est moi, ici, qui suis pris de quintes de toux. Souffrez-vous d'un mal quelconque, maître?»

Le visage de Dudly prit la couleur marquée d'un des couchers de soleil que j'aime tant.

Hamilton déclara avec dignité : « Plaise à la Cour que j'implore Me Dudly de se montrer indulgent envers tout inconvénient que mon âge avancé puisse créer. »

Dudly lui répliqua du tac au tac : « Lorsque j'aurai quatre-vingts ans, je vous assure que je n'ennuierai pas les gens dans une salle d'audience. »

Arborant un sourire doux, Hamilton déclara : « Me Dudly, je crois que nous serons tous d'accord pour reconnaître que vous n'aurez pas à attendre d'avoir quatre-vingts ans puisque vous avez déjà fait la démonstration à plusieurs reprises de votre grande capacité d'ennuyer les gens. »

Tandis que, sous le poids de la frustration, Me Dudly se laissait choir sur sa chaise, son visage prit encore plus les couleurs d'un coucher de soleil enflammé.

Je ramenai l'ordre en frappant de mon maillet, et le silence finit par revenir dans la salle d'audience.

Hamilton reprit la parole : « Votre Honneur, j'aimerais que nous évitions de gaspiller le temps de la Cour en examinant les détails de chaque procès-verbal. Je suis prêt à parier ma réputation de membre du Barreau depuis plus d'un demi-siècle que les permis de zonage, les servitudes, les dérogations, les permis de travail, et tout autre document émis par l'État, le comté et la municipalité sont en règle et ont été dûment déposés. Je peux le certifier à la Cour du fait que tout cela a été effectué le plus rapidement possible par le cabinet d'avocats Hamilton, Hamilton et Hamilton. »

Dudly se plaignit : « Avec quel argent ? D'où sont venus tous les fonds pour la création de ce soi-disant parc ? »

Un sourire magnifique sur les lèvres et une lueur dans les yeux, Hamilton affirma fièrement: «Oui. Merci de soumettre ce fait à l'attention de la Cour et de me le rappeler. Un don généreux a effectivement été fait à la nouvelle Caisse de bienfaisance du parc urbain.»

Après avoir marqué une pause à point, feuilleté une pile de papiers et trouvé celui qu'il semblait chercher, Mᵉ Hamilton reprit la parole en mettant ses antiques lunettes de lecture.

«Oui, la voici. Une lettre enregistrée, dûment signée et notariée, accompagnée d'un chèque de banque émis au nom de la Caisse de bienfaisance.»

Dudly l'interrompit: «Objection, Votre Honneur. Auriez-vous l'obligeance de demander à l'avocat adverse de nous révéler la source des soi-disant fonds?»

Hamilton poursuivit d'une voix chargée d'indignation après avoir lancé à Dudly un regard furieux.

«Merci, maître. J'y venais lorsque vous m'avez interrompu une fois de plus. Bien que le bienfaiteur ait souhaité ne pas attirer l'attention sur lui, et même rester dans l'anonymat, j'ai reçu l'autorisation de révéler à la Cour que tous les frais à payer qu'a exigé la création du parc urbain Howard "Red" Stevens ont été acquittés par une organisation nouvellement formée.»

Hamilton ajusta ses lunettes et scruta le document qu'il avait en main.

«Cette organisation nouvellement formée est connue sous le nom d'Alpine Texas Fence Builders Corporation. Votre Honneur, plusieurs groupes et sociétés-écrans semblent détenir les titres de propriété de cette corporation nouvellement formée, mais la Cour peut avoir l'assurance que la société en tant que telle, ainsi que les fonds que la Caisse de bienfaisance a reçus, sont légaux et bien comptabilisés. »

Dudly baissa la tête au-dessus de la table à laquelle il était assis. Les autres membres de l'équipe juridique de Dudly, Cheetham et Leech semblèrent perplexes et en proie à l'agitation. Des grognements et des grommellements montèrent du clan Stevens ayant pris place dans les rangées de sièges derrière Mᵉ Dudly.

Je laissai le silence s'installer et se poursuivre pendant quelques instants avant de prendre la parole.

« Étant donné qu'il n'y a aucune autre requête ou objection portée devant la Cour, je crois que nous pouvons maintenant passer à la question à trancher aujourd'hui. Conformément au testament du don ultime de Red Stevens, nous entendrons aujourd'hui des arguments relatifs au comportement de Jason Stevens par rapport au don de l'argent, ainsi que les constatations de la Cour en ce qui concerne la capacité qu'a Jason Stevens de gérer plusieurs milliards de dollars provenant de la fiducie de Red Stevens dans le but de faire bénéficier la société du don de l'argent. »

Je fis un geste en direction de Mᵉ Hamilton.

Il répondit en me présentant des faits : « Votre Honneur, étant satisfaits de la manière dont Jason Stevens a agi par rapport au don de l'argent, nous le jugeons apte à gérer la fiducie telle que décrite dans le testament de Red Stevens. »

Mon regard venait à peine de se poser sur Me Dudly lorsque celui-ci déclara : « Votre Honneur, nous appelons Jason Stevens à la barre. »

Une fois qu'on eut fait asseoir Jason à la barre des témoins, je l'informai, ainsi que toutes les personnes présentes, qu'il avait déjà prêté serment et qu'il était donc encore tenu sous la foi du serment de témoigner en disant la vérité.

Dudly commença : « M. Stevens, vous est-il déjà arrivé de gagner de l'argent au cours de votre vie ? »

Jason secoua la tête lentement en guise de réponse.

Dudly insista : « Veuillez répondre à la Cour. »

Jason répondit : « Non. »

« Vous est-il déjà arrivé de gérer ou d'investir de l'argent ? » s'enquit Dudly.

« Pas vraiment », lui répondit Jason.

« Alors, pourriez-vous indiquer à la Cour comment qui que ce soit de raisonnable pourrait s'attendre à ce que vous sachiez gagner et gérer votre propre argent, encore plus les milliards de dollars dont mes clients seraient en droit d'hériter ? »

Dudly désigna d'un geste les proches réunis de son côté de la salle d'audience.

Comme Jason ne lui répondait pas, Dudly haussa les épaules et fit remarquer : « Eh bien, j'imagine que nous avons là notre réponse. Nous n'avons pas d'autre question. »

Hamilton s'approcha de Jason et lui demanda : « Jason, n'est-il pas vrai qu'après avoir passé un mois au Texas à bâtir une clôture pour Gus Caldwell on vous a remis une certaine somme d'argent conformément au testament de votre grand-père?»

Jason lui répondit: «Oui, j'imagine qu'ils se sont dit que je méritais de recevoir environ mille cinq cents dollars pour la clôture que j'avais bâtie, ce qui fait qu'on m'a remis cette somme et qu'on m'a dit d'aller trouver des gens dont la qualité de vie pourrait être améliorée grâce à cet argent.»

Hamilton acquiesça d'un signe de tête et lui demanda: «Qu'avez-vous fait, alors?»

Jason porta son regard au loin, comme s'il se remémorait une autre époque et un autre lieu, puis il se mit à parler comme s'il se rappelait un souvenir agréable.

«Eh bien, j'ai d'abord trouvé un groupe de louveteaux en train de faire une levée de fonds et à qui il manquait deux cents dollars pour se rendre à leur jamboree. Puis, je suis tombé sur une jeune femme, avec un bébé dans les bras, consternée de voir sa voiture être reprise et je lui ai donné quatre cents dollars pour lui permettre de garder sa voiture. Ensuite, j'ai rencontré une famille qui était en train de faire des achats dans un magasin de jouets. J'ai entendu les parents dire à leurs enfants que le Père Noël ne leur rendrait pas visite cette année-là. Pendant que les enfants se trouvaient dans une autre partie du magasin, j'ai remis aux parents trois cents dollars pour veiller à ce que le Père Noël passe par chez eux. Après, j'ai vu une dame âgée assise sur un banc en train de pleurer parce qu'elle n'avait pas l'argent nécessaire à l'achat des médicaments pour le cœur de son mari.»

Jason marqua alors une pause, puis leva le regard vers moi. Et les yeux pleins de larmes, il poursuivit.

«Il y avait cinquante-sept ans qu'ils étaient mariés, et elle m'a dit que c'était la première fois de toutes ces années qu'ils n'arrivaient pas à joindre les deux bouts. Je lui ai donné deux cents dollars, ce qui allait lui permettre d'acheter une provision de médicaments pour trois mois et de payer à son mari, Harold, un déjeuner dans son restaurant préféré avec les vingt dollars qui lui resteraient. Pour terminer, j'ai porté secours au jeune propriétaire d'une voiture tombée en panne le long du chemin. Brian avait besoin de sa voiture pour se rendre au travail, faute de quoi il perdrait son emploi. Le mécanicien lui a indiqué que la réparation allait coûter sept cents dollars, alors je lui ai donné cette somme.»

Hamilton lui sourit comme s'il regardait un fils de qui il était on ne peut plus fier. Ensuite, l'avocat me regarda, puis l'auditoire, en disant: «Je crois que cela répond aux conditions du testament de Red Stevens.»

Se levant d'un bond, Dudly déclara: «Objection, Votre Honneur.»

De sa main gauche dépassait la bande témoin d'une machine à calculer. Un des préposés de Dudly, Cheetham et Leech assis au bout de la table des avocats avait une machine à calculer devant lui.

Adressant à Hamilton un petit sourire narquois de défi, Dudly déclara: «Votre client avait pour instruction de dépenser mille cinq cents dollars, mais dit en avoir dépensé mille huit cents. Cela indique bien que Jason Stevens est incapable de gérer son propre argent, encore moins les milliards de dollars dont mes clients sont légalement en droit d'hériter.»

Je posai le regard sur Mᵉ Hamilton.

Il y réagit en demandant: «Jason, pouvez-vous expliquer l'écart de trois cents dollars dont il est question ici?»

Semblant ne pas trop savoir quoi dire, Jason répondit: «Eh bien, il avait vraiment besoin de sa voiture, et la réparation coûtait sept cents dollars.»

Hamilton continua: «Alors, d'où venaient les trois cents autres dollars?»

Jason sembla nerveux, mais déclara avec force: «J'ai donné trois cents dollars de ma poche.»

Dudly lâcha: «Objection, cela ne répond pas au critère que Red Stevens a établi. Il devait distribuer mille cinq cents dollars et démontrer, ce faisant, sa capacité de gérer de l'argent. Je ne suis pas d'avis qu'il s'est acquitté de sa tâche.»

Je donnai quelques coups de maillet et statuai: «Eh bien, je suis, moi, d'avis qu'il a respecté à la fois l'esprit de la lettre et la lettre tels qu'exprimés dans le document, et si au cours des trente jours à venir Jason Stevens arrive à démontrer sa capacité de transmettre le don de l'argent à d'autres, cette partie de l'affaire sera jugée dûment résolue. L'audience est suspendue.»

—w—

De retour dans mon cabinet, je visionnai le DVD par lequel Red Stevens s'adressait à moi comme il s'était adressé à Jason au sujet du don de l'argent.

« Aujourd'hui, nous allons nous entretenir de ce qui risque fort d'être la chose la plus méconnue du monde, à savoir l'argent. Absolument rien ne saurait remplacer l'argent dans ce que l'argent peut faire, mais en comparaison avec les autres choses du monde, l'argent s'avère tout à fait inutile.

« Par exemple, tout l'argent du monde ne saurait te permettre d'acquérir une seule journée de vie supplémentaire. Ce qui explique que tu sois là, en ce moment, à regarder ma cassette vidéo. Et il importe que tu comprennes que l'argent ne te procurera pas le bonheur. À cela, je m'empresse d'ajouter que la pauvreté ne te le procurera pas davantage. J'ai connu la richesse, de même que la pauvreté et comme tout le reste s'équivaut, il est préférable d'être riche.

« Jason, tu n'as pas le moindre sens de la valeur de l'argent. Et tu n'y es pour rien. C'est moi qui en suis responsable. Mais j'espère qu'au cours des trente prochains jours tu vas commencer à comprendre ce que représente l'argent dans la vie de vraies personnes, dans le vrai monde. La violence, l'angoisse, le divorce et la méfiance dans le monde tiennent davantage à notre mauvaise compréhension de l'argent qu'à toute autre chose. Il y a des principes qui t'échappent, car l'argent, pour toi, c'est comme l'air que tu respires. Tu t'imagines qu'il y en aura toujours, et qu'il suffit de respirer pour l'obtenir.

« Je sais que tu as toujours jeté l'argent par les fenêtres, ce dont j'endosse aussi la responsabilité, car je t'ai privé de l'avantage de comprendre l'échange équitable du travail contre de l'argent.»

—◊—

Au fond de ma salle d'audience, les gens s'alignaient le long du mur. Ils tapissaient également chaque côté de la galerie, depuis l'arrière jusqu'à l'avant. Trois côtés se composaient de jeunes femmes de toutes silhouettes, tailles et allures.

Un mois s'était écoulé depuis le jour où j'avais envoyé Jason Stevens faire ses preuves relativement au don de l'argent. J'avais rappelé l'auditoire à l'ordre et, comme tout le monde présent, j'étais curieux de savoir pourquoi tant de jeunes femmes étaient venues assister à l'audience, mais avant même que je puisse m'en informer, de manière prévisible, Dudly prit la parole.

«Objection, Votre Honneur. À quel genre d'étalage scandaleux ou de tactique pour amuser la galerie avons-nous droit de la part de la partie adverse?» demanda Dudly en désignant d'un geste chaque côté et le fond de la salle, avant de continuer: «Mes clients et moi aimerions connaître la signification de tout ça.»

Dans un haussement d'épaules, je fis remarquer: «J'aimerais aussi en connaître la signification.»

En riant, Hamilton prit la parole: «Votre Honneur, je connais la signification de tout cela, mais je crois que mon client saurait mieux l'expliquer.»

Jason s'avança à la barre. Hamilton s'approcha de lui et lui demanda: «Jason, aimeriez-vous informer tout le monde de la raison pour laquelle toutes ces jeunes dames se trouvent aujourd'hui dans la salle d'audience?»

Jason lui sourit timidement, puis répondit: «Je ne leur ai pas demandé de venir ici.»

Dudly fit entendre son objection: «Votre Honneur, devons-nous croire que Jason Stevens n'a rien à voir avec cet attroupement?»

Levant les yeux vers moi, Jason poursuivit: «Eh bien, je sais qui elles sont, et je sais pourquoi elles sont là, mais je ne leur ai pas demandé de venir.»

Hamilton encouragea Jason à parler en lui demandant: «Pouvez-vous alors nous dire qui elles sont?»

Jason regarda les jeunes femmes qui entouraient la salle, puis commença: «J'ai entendu dire dans un reportage que les mères monoparentales faisaient partie des gens les plus défavorisés de notre société. Alors, je me suis rendu dans certains quartiers défavorisés pour y chercher des mères monoparentales, avec l'aide de garderies, d'écoles, de centres communautaires et d'associations qui s'occupent des HLM. Je leur ai demandé quels étaient leurs besoins et...» Jason semblait avoir du mal à trouver les bons mots pour s'exprimer.

«Eh bien, j'imagine qu'on en est venu à créer une sorte de programme.»

Hamilton lui sourit et lui demanda: «Pourriez-vous nous parler de ce programme?»

Jason poursuivit: «Eh bien, le premier et le plus grand des problèmes semblait être qu'elles dépensent beaucoup d'argent pour des services de garderie et qu'elles n'ont pas assez de temps à consacrer à leurs enfants. Ce qui fait qu'on a créé un centre de garderie en coopérative dans lequel les mères prennent soin des enfants les unes des autres en y travaillant à tour de rôle les jours, les soirs et les nuits, selon leurs horaires de travail respectifs. Cela leur permet de passer plus de temps en compagnie de leurs enfants et d'épargner beaucoup d'argent en frais de garderie. »

Hamilton incita Jason à continuer en lui faisant un signe de tête.

« Ensuite, nous leur avons procuré à toutes un formulaire de testament, des documents de tutelle par procuration et tout ce dont les mères monoparentales ont besoin pour tenir leur maison. Nous les avons aidées à transférer leurs soldes de carte de crédit à haut taux d'intérêt à des cartes de crédit à faible taux d'intérêt, et beaucoup d'entre elles se sont tout simplement débarrassées de leurs cartes de crédit. Nous avons ensuite demandé à des experts bénévoles de la communauté de leur donner des cours de finance pour les aider à gérer leur argent, à progresser dans leur carrière et à avancer dans la vie. »

Hamilton avait le visage qui rayonnait. Il approuva Jason en lui servant un pouce en l'air, se tourna vers Me Dudly, et lui fit littéralement une courbette en lui annonçant : « Le témoin est à vous, maître. »

Dudly fonça vers Jason, qui s'adossa à sa chaise d'un geste défensif. Dudly passa à l'attaque : « M. Stevens, qu'est-ce qui peut bien vous qualifier, si une telle chose existe, pour aider de jeunes mères ou qui que ce soit d'autre en matière de documents juridiques, de problèmes de crédit ou de planification financière ? »

En haussant les épaules, Jason lui répondit : « À dire vrai, rien du tout. M. Watkins et Mlle Hastings m'ont apporté leur aide. »

Jason fit un signe de tête en direction de la table des avocats.

Avec un regard furieux, Dudly me déclara : « Votre Honneur, Jason Stevens n'est venu en aide à personne avec de l'argent. Il s'est arrangé pour que d'autres personnes le fassent à sa place. Il n'est tout simplement pas qualifié pour... »

Le claquement de mon maillet interrompit Me Dudly.

« Me Dudly, on reconnaît depuis longtemps dans notre société comme un fait que les gens qui doivent accomplir des tâches complexes ou spécialisées consultent des personnes ayant les compétences requises. C'est ce qui explique que des firmes comme Dudly, Cheetham et Leech existent. »

Je regardai la longue file de jeunes dames qui tapissait les murs de ma salle d'audience. Elles étaient propres et présentables, mais le prix de l'ensemble de leurs garde-robes n'aurait pas suffi à payer une seule des tenues vestimentaires du clan des Stevens assis derrière Dudly. Pourtant, ces femmes semblaient avoir une fierté et une dignité que je n'arrivais pas vraiment à définir. Peut-être s'agissait-il simplement d'espoir.

Je baissai le regard sur mon sténographe, Scott, et lui demandai : « Inscrivez au registre que la Cour est d'avis que M. Stevens s'est dûment et admirablement acquitté de toutes les tâches relatives au don de l'argent.»

Un joyeux cri du cœur s'éleva de tous côtés dans la salle d'audience. Je ne pus me résoudre à ramener l'ordre de mes coups de maillet.

Je regardai tour à tour Hamilton et Dudly, puis je déclarai: «Messieurs, demain sera un autre jour. L'audience est suspendue.»

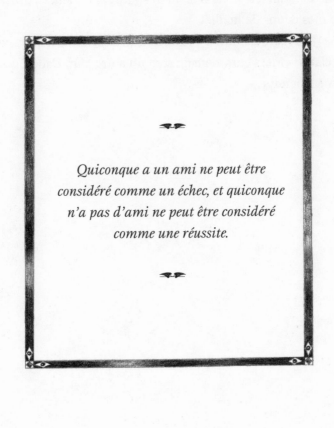

Quiconque a un ami ne peut être considéré comme un échec, et quiconque n'a pas d'ami ne peut être considéré comme une réussite.

Cinq

LA VIE DES AMIS

❧

*L*a couverture médiatique, que j'avais espéré voir diminuer, ne fit que s'intensifier. Il était impossible d'échapper, à la télé et dans les médias imprimés, aux photos des jeunes mères monoparentales tapissant ma salle d'audience.

Je vérifiai s'il existait un précédent jurisprudentiel dans le cas d'affaires très médiatisées de cette nature, qui allait se poursuivre pendant toute une année ou plus. Malheureusement, il n'en existait pas, ce qui fait que j'avais l'honneur discutable de faire œuvre de pionnier sur la scène juridique.

Dans le cadre de mon émission-débat préférée, on interviewa un soir Mᵉ Dudly et Bill, le fils cadet de Red Stevens. L'émission capta mon attention avant même que j'aie pu changer de chaîne.

Bill commença en affirmant tout innocemment que l'affaire n'avait rien à voir avec l'argent. Il faut bien dire, malgré tout, qu'avec des expressions comme « Le chèque est dans la poste» et «Je travaille pour le gouvernement, et je suis là pour vous aider», l'expression «Ce n'est pas une question d'argent» doit occuper un rang important au panthéon des mensonges. Les quarante années et plus que j'ai passées à siéger en tant que juge m'ont enseigné que «C'est toujours une question d'argent».

L'animateur négligea de questionner Bill au sujet de l'argent et le laissa déblatérer sur le compte de Jason Stevens, qu'il disait n'avoir été toute sa vie qu'un playboy, et expliquer que le reste de la famille avait malheureusement été contraint de se rallier contre Jason devant les tribunaux pour obtenir la part d'héritage à laquelle chacun avait droit.

Bill s'expliqua ainsi: «Peu importe combien de temps et d'argent il faudra pour empêcher qu'une telle injustice se produise, on ne peut absolument pas permettre que les héritiers légitimes du fruit des efforts de notre cher père en soient privés au profit de quelqu'un comme Jason.»

L'animateur lui demanda: «Bill, le fait que vous n'ayez pas eu gain de cause dans les deux premières étapes de cette affaire à douze étapes vous inquiète-t-il?»

D'un geste dédaigneux de la main, Bill lui répondit: «Non, qu'est-ce que ça peut bien faire? Après tout, il y a douze obstacles à surmonter dans la course. Jason et son vieil avocat doivent surmonter chacun de ces douze obstacles s'ils veulent remporter la course. Nous, les héritiers légitimes, n'en avons qu'un seul à surmonter pour obtenir notre héritage.»

En fin d'émission, l'animateur demanda: «M. Stevens, n'êtes-vous pas inquiet de savoir que, si vous perdez le procès, non seulement vous n'obtiendrez pas la part de la succession de Jason Stevens, mais vous perdrez aussi tout ce dont vous avez déjà hérité? Cela ne vous laisserait-il pas sans le sou, vous et votre famille?»

Bill ricana nerveusement. La chaleur intense des projecteurs de la télé sembla le faire transpirer à ce moment précis. Après s'être raclé la gorge, il dit d'une voix rauque: «Nous avons l'assurance que, avec l'aide et la compétence de Me Dudly, justice sera rendue.»

La musique thème de l'émission se fit entendre, en signalant ainsi la fin. L'entrevue m'avait rappelé que le chemin à parcourir serait effectivement long et parsemé de dangers potentiels. De plus, la position dans laquelle Jason se trouvait me rappela que le poursuivant pouvait faire plusieurs erreurs, mais que la proie ne pouvait s'en permettre qu'une seule.

—◦◦◦—

Mes greffiers, Jim et Paul, m'arrêtèrent dans le corridor. Nous n'avions pas souvent l'occasion de nous parler, même si nous travaillions dans la même salle chaque jour, toute la journée.

Jim lâcha: «Nous sommes désolés.»

Je dus sembler ne pas comprendre, car Paul m'expliqua ceci: «Nous aurions dû intervenir par rapport à ces femmes ou vous en informer avant que l'audience soit ouverte.»

En leur tapotant à chacun l'épaule, je les rassurai: «Messieurs, il s'agit d'un édifice et d'une audience publics. Vous n'avez aucune explication à me donner.»

Je ris en exprimant ma pensée : « Dans un sens, je crains que la salle d'audience n'ait pas aujourd'hui la même atmosphère. »

En effet, en entrant et en prenant place dans la salle d'audience, je remarquai que, même si elle était bondée, la longue file de jeunes femmes ne s'y trouvait plus. Je n'allais pas oublier de si tôt la vue de cette file.

Je fis claquer mon maillet, j'inspirai profondément, puis je commençai : « Aujourd'hui, nous allons explorer le don des amis. »

Je regardai Theodore J. Hamilton et lui demandai : « Maître, êtes-vous prêt ? »

Je souris en moi-même, en me disant : *Demander à Theodore J. Hamilton s'il est prêt, c'est comme demander à un lion affamé s'il aimerait manger.*

Hamilton se contenta de me l'affirmer d'un signe de tête, et Jason s'avança à la barre pour témoigner.

Hamilton lui demanda alors : « Jason, voudriez-vous dire à la Cour ce que votre grand-père vous a enseigné au sujet de l'amitié ? »

Après s'être humecté les lèvres et avoir pris une profonde inspiration, Jason s'exécuta : « Je n'avais jamais compris le vrai sens de ce qu'est un ami, ni la profondeur de l'amitié, avant que mon grand-père me transmette le don des amis. »

Jason sembla en lutte avec ses pensées lorsque Hamilton lui fit un signe de tête pour l'encourager à continuer.

« J'imagine qu'un ami, c'est quelqu'un sur qui on peut compter en toute situation. Les amis applaudissent nos meilleurs coups et acceptent nos pires. »

Hamilton prit la parole : « Au cours du mois où Red Stevens vous a enseigné le don de l'argent, vous êtes allé faire la connaissance de quelqu'un à qui vous n'aviez jamais été présenté. Lui et vous êtes devenus ensuite des amis. »

Jason le lui confirma d'un « oui » et d'un signe de tête.

Hamilton poursuivit : « Êtes-vous encore des amis aujourd'hui ? »

D'un signe de tête affirmatif, Jason lui dit : « Oui. On ne se parle pas aussi souvent qu'on le voudrait, mais on est amis. »

Hamilton me regarda et déclara : « Votre Honneur, je crois que cela accomplit tout ce que Red Stevens a prévu par rapport au don des amis. Il n'y a tout simplement rien de plus ou de moins qui soit requis d'un ami. »

Me Hamilton retourna à sa place, tandis que Me Dudly, se levant inévitablement, lançait : « Votre Honneur, si vous le permettez. »

Je permis la situation inévitable d'un signe de tête affirmatif.

Dudly poursuivit : « Nous avons quelques questions. Jason, lorsqu'on vous a demandé de faire la démonstration du don de l'argent, vous avez fait mention à plusieurs reprises d'un jeune homme du nom de Brian. »

D'un signe de tête, Jason lui répondit : « C'est exact. »

Avec un sourire de conspirateur, Dudly lui demanda : « Auriez-vous l'obligeance d'indiquer à la Cour dans quelles circonstances vous avez fait la connaissance de Brian et comment vous vous êtes lié d'amitié avec lui ? »

Haussant les épaules, Jason commença: «Je venais de quitter le bureau de M⁰ Hamilton au volant de ma voiture après avoir regardé la vidéocassette dans laquelle mon grand-père me parlait du don de l'argent. Ses paroles et ses exemples m'avaient vraiment touché. C'est alors que j'ai remarqué une voiture tombée en panne sur le bas-côté. Je me suis rangé sur l'accotement, et c'est ainsi que j'ai fait la connaissance de Brian. Je l'ai aidé à se procurer un nouveau moteur, et nous avons commencé à parler et à faire des choses ensemble, et nous sommes maintenant des amis.»

M⁰ Dudly éclata de rire et lança: «Voyons voir si j'ai bien compris. Vous avez trouvé quelqu'un dont la voiture était tombée en panne sur le bord de la route, vous lui avez acheté un nouveau moteur et vous pensez vous être fait un ami de lui.»

Jason servit à Dudly un signe de tête affirmatif et le regarda droit dans les yeux pour lui répondre: «Oui, monsieur. Je le pense.»

Dudly lui demanda: «Jason, avez-vous déjà eu un ami au cours de votre vie à qui vous n'avez pas donné l'argent de votre grand-père ou à qui vous n'avez jamais rien acheté?»

Jason lui répondit: «Eh bien, il y a eu Emily.»

Dudly sembla respectueux lorsqu'il lui demanda: «Faites-vous allusion à la défunte fille de votre fiancée?»

Jason le lui affirma d'un «oui».

Dudly nous jeta un coup d'œil, à moi et à Alexia, qui était assise à la table des avocats. «Avec tout le respect que je vous dois, je crois qu'il s'agissait davantage d'une relation familiale. »

Tel un caméléon, Dudly changea de propos : « Pour en revenir à ma question, Jason, avez-vous déjà eu un ami au cours de votre vie à qui vous n'avez pas donné l'argent de votre grand-père ou à qui vous n'avez jamais rien acheté ? »

Jason sembla se remémorer son passé, puis en secouant la tête il déclara : « Non, grâce à mon grand-père, j'ai toujours eu beaucoup d'argent, ce qui fait que j'ai toujours acheté des choses et aidé mes amis. »

« Et c'est de cette même manière que vous avez fait la connaissance de Brian ? » lui demanda Dudly.

Jason lui répondit : « Eh bien, j'imagine que oui. »

Dudly lui répliqua du tac au tac : « Combien de ces amis avez-vous vus et combien d'entre eux vous ont contacté depuis que tous les actifs de votre grand-père ont été bloqués ? »

En baissant les yeux, Jason lui dit : « Eh bien, aucun vraiment. »

D'un air triomphant, Dudly déclara : « Le témoin peut se retirer. Votre Honneur, n'importe qui se comporterait comme un ami tant qu'on lui donnerait de l'argent, qu'on payerait ses dépenses et qu'on lui achèterait des choses. Ce n'est pas ce qu'est un ami, pas plus que cela ne répond au critère établi dans le testament de Red Stevens. »

Hamilton lança : « Votre Honneur, nous nous objectons à l'affirmation de l'avocat de la partie adverse selon laquelle le fait d'avoir de l'argent ou de partager de l'argent élimine nécessairement ce qui rend une amitié véritable et durable. On ne peut acheter un ami avec de l'argent, pas plus qu'on ne peut perdre son amitié simplement parce qu'on a partagé ce que l'on avait.»

J'étais divisé. Hamilton et Dudly avaient tous les deux marqué beaucoup de points. La preuve n'était pas accablante comme elle l'avait été pour les dons du travail et de l'argent.

Afin de gagner du temps, j'inspirai profondément, puis je me rappelai les paroles du vieux juge Eldridge : *Ne rends jamais de décision avant que ce ne soit nécessaire.*

Pour la millième fois, je souris et je remerciai mon mentor en pensée, puis je pris la parole : «Pour l'instant, la Cour ne possède pas suffisamment de preuves pour affirmer irréfutablement que Jason Stevens a acquis la maîtrise du don des amis.»

Une cacophonie de cris, de sifflements et d'applaudissements provint du clan hétérogène des Stevens assemblé derrière Dudly. Du coup, je fis claquer impitoyablement mon maillet et les foudroyai du regard jusqu'à ce qu'un silence de mort s'installe de nouveau dans la salle.

Je grognai : «Maître, informez vos clients que nous ferons régner l'ordre dans ce tribunal. Il ne s'agit pas d'un match de foot.»

Je laissai le silence se prolonger avant de continuer : «Par contre, la Cour ne trouve aucune preuve irréfutable pour démontrer que les amitiés que Jason Stevens a nouées ne sont pas légitimes ; par conséquent, la Cour ne portera pas de jugement aujourd'hui et espère que la preuve sera plus claire dans trente jours, lorsque M. Stevens pourra démontrer qu'il a la capacité non seulement de se faire des amis, mais aussi de transmettre le don des amis à d'autres.

« L'audience est suspendue. »

Dans mon cabinet, je regardai les nombreuses photos qui se trouvaient au mur. Il y en avait qui dataient de la faculté de droit, et plusieurs autres avaient été prises avec des partenaires et des collègues. Je me demandai combien parmi ces gens, si même il y en avait, répondraient au critère d'ami tel qu'établi devant le tribunal. J'espérais recevoir des éclaircissements et de l'inspiration quand je glissai le DVD étiqueté *Le don des amis* dans le lecteur de DVD.

Red Stevens apparut comme s'il avait toujours été là et y serait toujours.

« "Ami", voilà un mot que les gens qui en ignorent le sens ont tendance à utiliser bien trop à la légère. Aujourd'hui, les gens qualifient d'amis tous ceux qu'ils connaissent. Jeune homme, tu pourras t'estimer heureux si, après avoir vécu aussi longtemps que moi, tu peux compter tes vrais amis sur les doigts de tes deux mains.

« Laisse-moi maintenant te raconter une histoire, Jason, que j'ai promis de ne jamais raconter de mon vivant. Étant donné que tu regardes cette cassette après ma mort, en présence de celui à qui j'ai fait cette promesse, je me sens en droit de te la raconter. Comme tu le sais, j'ai passé le cap des soixante-quinze ans, et j'ai joui de ce que la plupart des gens considéreraient comme une longue vie en bonne santé. Mais ça n'a pas toujours été exactement le cas.

«Je me rappelle quand j'ai été hospitalisé à cause d'une fièvre de cheval. Je venais d'avoir trente-huit ans. Les médecins ne savaient pas trop ce que j'avais, alors ils ont fait venir tous les spécialistes du pays. On a fini par diagnostiquer chez moi une maladie rare des reins qui s'avérait incurable. Mon seul espoir d'y survivre, c'était de subir une toute nouvelle intervention appelée "greffe du rein".

«Il faut que tu saches qu'à l'époque, c'était du jamais vu, et que les donateurs n'étaient pas si faciles à trouver qu'aujourd'hui. J'ai donc appelé M. Hamilton, mon avocat depuis toujours, pour l'informer de la nécessité de chercher dans tout le pays quelqu'un qui accepterait de me donner un rein. J'étais affolé, car le spécialiste m'avait dit que, sans greffe, je n'en aurais peut-être plus que pour quelques semaines à vivre. Tu imagineras certainement mon soulagement quand M. Hamilton m'a téléphoné deux jours plus tard pour m'annoncer qu'il avait trouvé un rein sur la côte est.

«Eh bien, comme tu l'auras sûrement deviné, l'intervention a remporté un franc succès et m'a rendu plus de la moitié de ma vie d'adulte. Mais ce que je suis certain que tu n'as pas pu deviner, et ce que personne n'a jamais su jusqu'ici, c'est que le rein que M. Hamilton a trouvé n'était nul autre que le sien.

« Il n'existe dans le monde qu'une seule chose qui puisse expliquer pareil geste, c'est *l'amitié.* »

Je me carrai dans mon vieux fauteuil de cuir et tentai de reprendre mon souffle. Je réfléchis aux émotions que susciterait en moi le fait de donner un de mes reins à quelqu'un, puis je réfléchis au fait d'avoir un ami qui m'aimerait au point de renoncer à un de ses reins pour moi.

L'image me hantait. J'étais en train de me demander si j'avais quelqu'un de tel dans ma vie lorsque le téléphone sonna. Comme j'avais demandé à la standardiste de ne m'acheminer aucun appel, je sus de qui il s'agissait. Lorsque je saisis le combiné et que je dis : « Allô, Marie ! » je sus sans l'ombre d'un doute que j'avais quelqu'un de tel dans ma vie et qu'elle, en retour, m'avait, moi. J'allais continuer de réfléchir au don des amis et à la manière dont il concernait ma vie, mais je savais que je serais toujours heureux par-dessus tout d'avoir trouvé ma meilleure amie et de lui avoir demandé de m'épouser.

—∞—

Le mois s'étira, mais je finis par me retrouver en cour pour exercer mes fonctions dans *Le Procès.*

En rappelant l'auditoire à l'ordre, je me contentai de fixer Theodore J. Hamilton du regard. Je n'arrivais pas à me sortir de l'esprit l'histoire que Red Stevens avait racontée sur le DVD. J'avais toujours considéré Theodore J. Hamilton comme un avocat incomparable. Maintenant, je savais qu'il avait été un ami incomparable. Il me rendit mon regard, et quelque chose me disait clairement qu'il savait que j'étais au courant du don de son amitié avec Red Stevens. Je le saluai d'un signe de tête. Il me sourit et me fit même un clin d'œil.

Je l'invitai d'un geste à commencer. Jason prit place à la barre, qui lui était maintenant familière, et Theodore J. Hamilton lui demanda : « Jason, au cours du dernier mois, avez-vous eu l'occasion d'explorer et de démontrer votre capacité non seulement de saisir le sens de l'amitié, mais aussi de transmettre ce don à d'autres ? »

Jason le lui affirma d'un signe de tête, et Hamilton lui demanda : « Veuillez nous faire part de votre expérience. »

Après s'être raclé la gorge, Jason s'exécuta : « Lorsque je suis sorti d'ici le mois dernier, je n'étais pas sûr de ce que je devais faire parce que M⁰ Dudly ne semble pas compter comme des amis les gens qui savent que vous avez de l'argent. Avec tous les reportages télévisés et tout ce qui entoure ce procès, tout le monde me connaît.

« Puis, je me suis rappelé un jeune homme aveugle, David Reese, que j'ai rencontré l'année dernière lorsque j'apprenais à découvrir le don du rire. J'ai entendu dire que David enseignait à l'école pour aveugles située de l'autre côté de la ville. Je l'ai appelé et il m'a dit qu'il donnait une sorte de cours d'introduction aux personnes nouvellement aveugles ou qui venaient d'arriver à l'école. J'ai dit à David que je cherchais un groupe de gens avec qui discuter du don des amis, et David s'est dit que cette discussion constituerait un très bon élément de son cours. »

Jason regarda Hamilton pour obtenir son approbation, mais celui-ci était en train de revoir ses notes. Mlle Hastings, qui était assise à côté de Hamilton, servit au témoin un sourire angélique, et Jason reprit la parole avec assurance.

«Eh bien, je me disais que, si tout le monde était aveugle, personne ne m'aurait vu à la télé et ne saurait qui je suis ou que j'étais peut-être riche. Je suis donc allé en classe et, après que David m'ait présenté, j'ai dit à environ vingt-cinq aveugles que je ne pouvais m'imaginer devoir m'adapter comme eux le faisaient et que j'avais beaucoup de respect pour leurs efforts. Je leur ai dit également que, si je devais traverser une épreuve comme la leur, je voudrais avoir des amis et en aurais besoin autour de moi.

«Ils étaient tous de mon avis, mais certains m'ont dit qu'après avoir perdu la vue, ils avaient perdu beaucoup de leurs amis. Ils se disaient que c'était probablement parce que les gens se sentaient mal à l'aise et ignoraient comment réagir à ce qui leur arrivait. En faisant un tour de salle, nous avons discuté de ce dont nous avions besoin de la part de nos amis et de ce que chacun pensait avoir à offrir. Ce jour-là, je suis entré en relation avec plusieurs personnes que j'espérais voir devenir mes amis.

«Une des choses que nous avons tous découvertes, c'est que, pour avoir un ami, on doit en être un soi-même. J'avais du mal à concevoir que ces gens puissent tendre la main de l'amitié aux autres. Puis, je me suis rappelé le centre pour personnes âgées devant lequel j'étais passé en me rendant à l'école pour aveugles. Je leur ai dit qu'il devait y avoir des centaines de personnes là-bas qui aimeraient vraiment recevoir un appel téléphonique. Il se pourrait que certains appels servent simplement à apporter un encouragement agréable, alors que d'autres se transforment en amitié. »

Jason plongea la main dans la poche intérieure de son veston et en sortit une pile de papiers pliés. Il me questionna du regard tout en continuant.

« Votre Honneur, je ne suis pas sûr de savoir à qui je devrais remettre ceci, mais il s'agit de la liste de tous les gens qui téléphonent régulièrement aux personnes âgées et quelques lettres provenant de personnes âgées décrivant en quoi le fait de se lier d'amitié a amélioré leur qualité de vie. »

En suivant la direction du regard de Jason, je constatai que Mlle Hastings rendait son sourire à Jason avec les larmes aux yeux.

Hamilton lança alors avec esprit: «Je crois que le jeune homme a parlé pour sa propre défense. »

Jason nous regardait tour à tour, le sténographe et moi, en tendant la pile de papiers et en nous questionnant du regard.

Dudly interjecta: «Je vais prendre ça, et j'ai quelques questions. »

Dudly feuilleta rapidement la pile et lança: « Alors, Jason, voyons voir si j'ai bien saisi. Pour trouver des amis, vous êtes allé dans une école pour aveugles et un foyer pour personnes âgées. Êtes-vous d'accord pour dire qu'il ne s'agit pas là d'endroits traditionnels pour trouver des amis?»

Haussant les épaules, Jason répondit: «Je l'ignore. Je suis simplement allé à l'école pour aveugles afin de rencontrer des gens qui n'avaient pas vu ma photo à la télé ou dans les journaux. Je me suis dit que, comme ça, je passerais incognito.»

D'un petit sourire satisfaisant, Dudly lui demanda: «Eh bien, avez-vous gardé l'anonymat ou avez-vous, ou votre ami David, fait savoir à tout le monde que vous couriez la chance de mettre la main sur plusieurs milliards de dollars si vous arriviez à priver mes clients de leur héritage?»

Je regardai Hamilton, en m'attendant à ce qu'il s'objecte, mais il se contenta de sourire et de faire un geste dédaigneux de la main.

Jason répondit: «Eh bien, je ne leur ai pas dit qui j'étais, mais ils l'ont plus ou moins découvert.»

Dudly insista: «Et comment, je vous prie, cette indiscrétion concernant votre identité s'est-elle produite?»

En lâchant un petit rire, Jason lui répondit: «Eh bien, c'est après le cours et les fois où nous avons passé du temps ensemble à coordonner les appels téléphoniques avec les personnes âgées que David et plusieurs étudiants de l'école pour aveugles se sont mis à beaucoup se moquer de moi et m'ont dit combien c'était ridicule de ma part d'avoir pensé qu'ils ne reconnaîtraient pas ma voix à la télé et à la radio. Ils m'avaient tous reconnu instantanément, et ont voulu en savoir plus sur le procès.»

Dudly continua sur cette voie, en demandant : « Qu'ont-ils voulu savoir exactement au sujet du procès ? »

Secouant la tête, Jason marmotta : « Oh, rien de vraiment spécifique. »

Dudly se redressa de toute sa hauteur et exigea de savoir : « Jeune homme, je vous rappelle que vous êtes sous serment. Que vous ont-ils demandé exactement au sujet des poursuites ? »

Jason lui répondit innocemment : « Ils voulaient savoir si vous travailliez véritablement pour une firme nommée Dudly, Cheetham et Leech. »

Des rires fusèrent de toutes parts dans la salle d'audience tandis que j'intimais l'ordre de faire silence à coups de maillet.

Dudly retrouva en partie sa dignité et changea de voie : « M. Stevens, quelle formule ou recette au juste croyez-vous suivre à l'école pour aveugles ou au foyer pour personnes âgées qui puisse indiquer à cette Cour que vous avez la capacité de trouver ou de créer des amitiés ? »

Jason me regarda, puis reporta son regard sur Me Dudly et lui répondit : « Je ne pourrais garantir quoi que ce soit à qui que ce soit. Les amitiés et les amis sont des dons que nous recevons. La seule chose que nous puissions faire, c'est de semer les graines et d'en aider d'autres à les semer ; et de temps à autre, quand nous avons vraiment de la chance, une amitié grandira, s'épanouira et procurera des graines destinées à d'autres amitiés. »

Ahuri, Dudly fixa simplement Jason du regard.

Je finis par rompre le silence, en demandant à Dudly: «Maître, avez-vous d'autres questions à poser?»

Dudly secoua la tête et retourna à la table des avocats. Je souris à Jason et lui dis que ce serait tout.

Je rendis ma décision en fixant le regard sur Me Hamilton: «Je crois qu'ici même, aujourd'hui, nous avons tous découvert quelque chose au sujet de l'amitié. La Cour souhaite remercier Jason Stevens pour sa leçon et le féliciter non seulement de l'ami qu'il est, mais aussi d'en aider d'autres à devenir des amis à leur tour. J'encouragerais tout le monde ici présent à réfléchir à ces choses.

«L'audience est suspendue jusqu'à lundi matin, 10 heures.»

*Dans l'obscurité, l'apprentissage
allume une bougie qui illumine
nos rêves.*

Six

LA VIE DE L'APPRENTISSAGE

Ce fut un week-end béni. Il y a des week-ends qui ne sont que des parenthèses habituelles à la fin d'une semaine de travail. D'autres week-ends sont une prescription nécessaire à une âme accablée.

Marie me fit savoir le vendredi soir, en mangeant dans un de nos restaurants préférés, qu'elle avait prévu à notre programme du week-end quelques activités familiales. Le terme *activités familiales* pouvait tout aussi bien se traduire vaguement par « corvées ». Mes activités familiales, entre autres choses, impliqueraient : ratisser des feuilles, nettoyer des gouttières et tenter de mettre de l'ordre dans le garage afin qu'on puisse y entrer deux voitures cet hiver plutôt qu'une seule. J'étais sur le point de me plaindre en considérant tout ce travail dans le seul but de faire entrer une voiture de plus dans le garage lorsque je me rappelai que cette voiture serait la mienne.

Marie et moi savourâmes un délicieux repas en nous remémorant de bons souvenirs, ainsi qu'en planifiant des voyages et les vacances de Noël à venir. Je suis toujours étonné que, même après cinquante ans de vie commune, Marie et moi ayons encore des choses à nous dire. J'en suis reconnaissant. En fait, les années – plutôt que d'épuiser les possibilités qui s'offrent à nous – nous ont ouvert des voies qu'il nous reste à explorer ensemble.

Je crois que nous nous efforçames d'éviter le sujet le plus longtemps possible, mais comme un éléphant dans le salon, le sujet fut impossible à éviter, alors nous finîmes par aborder *Le Procès*. Marie sait que je refuse de discuter des procès en cours, sauf des dimensions du procès dont il est possible d'avoir entendu parler dans les médias. La couverture médiatique entourant le procès de contestation du testament de Red Stevens était si étendue que je me sentais à l'aise d'aborder n'importe quelle question concernant *Le Procès*.

Marie me demanda: «Pourquoi, selon toi, la famille ne peut-elle pas simplement se satisfaire de centaines de millions de dollars? Pourquoi doivent-ils chercher à mettre la main sur les milliards de dollars que Jason est chargé de gérer au moyen de la fiducie de bienfaisance?»

J'y réfléchis une minute, puis je proposai une explication plausible: «Après avoir vu des milliers de gens passer par ma salle d'audience, se battre pour de l'argent, des propriétés et toutes sortes de biens personnels, j'en suis venu à la conclusion qu'il y a une maladie qui sévit au sein de la race humaine. Cette maladie porte le nom de *plus*. Il s'agit, en fait, d'une véritable épidémie.

«Les gens qui n'ont rien veulent avoir quelque chose. Les gens qui ont quelque chose veulent en avoir beaucoup.

Les gens qui en ont beaucoup veulent tout avoir. Et les gens qui ont tout veulent en avoir plus encore. Ça ne finit jamais. Il suffit que des gens, d'ordinaire satisfaits de ce qu'ils ont et bien équilibrés, entendent dire que quelqu'un d'autre a reçu quelque chose pour qu'ils trouvent soudain que ce qu'ils ont ne suffit plus. Ils se mettent à vouloir en avoir plus encore.»

Fronçant les sourcils et secouant la tête, Marie fit remarquer : «C'est dommage que ces gens-là n'aient pas la possibilité d'aller à l'étranger comme toi et moi pour voir dans quelle pauvreté abjecte vivent la plupart des gens du monde.»

Je lui signifiai mon accord d'un signe de tête, en me remémorant certaines des scènes d'une pauvreté affligeante que j'avais vues de mes propres yeux. Puis je dis à Marie : «Ça me semble logique ; pourtant, certaines des personnes les plus fortunées que je connaisse enjamberaient le corps d'un sans-abri blessé sans lui porter secours dans leur course vers une réunion où ils s'efforceraient de gagner leur prochain million.

«Il y a un équilibre à atteindre. La poursuite de la réussite est ce qui a donné sa grandeur à notre pays. Les percées scientifiques et les progrès médicaux s'inscrivent dans cet effort et cette aspiration incessants. Par contre, les gens doivent en venir à comprendre que, si l'on considère la situation à l'échelle planétaire, nous sommes tous incroyablement riches.»

Après avoir pris une gorgée de café, Marie me dit : «C'est triste, parce que tu te trouves dans une salle remplie des membres de la famille Stevens, qui ont tous assez d'argent pour vivre cent vies, mais leur cupidité les a poussés à faire en sorte que quelqu'un se retrouve avec absolument rien. »

Je ris sous cape en pensant à cette éventualité.

« Ce sont des gens qui n'ont jamais appris à se débrouiller sans argent. Vivre dans la pauvreté est un art qui s'acquiert et qui se cultive. »

Marie éclata de rire et me dit : « Votre Honneur, je me rappelle très bien cette époque-là. La faculté de droit n'était pas bon marché, alors on a dû apprendre tous les deux à dormir à même le sol et à manger ce qui était en solde au supermarché. Je n'aimerais pas retourner à ça. »

Je lui répondis : « Je suis bien de ton avis, mais on a aussi vécu certains de nos meilleurs moments à cette époque-là, et on sait tous les deux que, si on devait le faire, on arriverait à survivre avec presque rien. La famille Stevens ignore tout simplement ce qu'elle ignore. Il y a tout un monde auquel ils n'ont pas été exposés. »

On nous servit le dessert, ce qui nous incita à aborder des sujets plus légers et plus agréables. Nous parlâmes de nos petits-enfants et de jardinage.

En sortant bras dessus bras dessous du restaurant, je lui fis remarquer : « J'avais besoin de ça. »

« Le repas était bon », me dit Marie.

Je m'arrêtai et je plongeai profondément le regard dans ses yeux bien connus et toujours fascinants, avant de lui dire : « Je ne parlais pas de la nourriture. »

—⁓—

En gravissant les marches et en m'asseyant, je remarquai que j'avais une douleur lombaire. Elle me venait sans doute des heures que j'avais passées à ratisser des feuilles, exercice qui portait le nom d'*activités familiales*.

Je frappai du maillet pour ramener l'ordre, je saluai l'immense auditoire d'un signe de tête et j'annonçai : «Aujourd'hui, nous aborderons la question du don de l'apprentissage. Je souhaite rappeler à tous le sérieux de l'affaire en cours et le fait qu'il s'agit d'une affaire continue qui, contrairement à la plupart des affaires successorales, ne se résoudra pas en un jour ou deux. Cette affaire sera entendue périodiquement au cours de toute une année et comportera des conséquences graves pour les parties concernées.

«Si la famille Stevens, représentée par Me Dudly...», dis-je, puis je marquai une pause, je tournai le regard vers Dudly et je désignai d'un signe de main ce côté-là de la salle d'audience, «... réussit à annuler le testament de Red Stevens et les dispositions afférentes au don ultime, elle divisera entre ses membres plusieurs milliards de dollars qui sont actuellement bloqués dans la fiducie de bienfaisance.

«Par contre...», je tournai le regard vers Me Hamilton, Jason, sa fiancée du nom d'Alexia, l'excellente adjointe de Hamilton connue sous le nom de Mlle Hastings et le silencieux mais omniprésent Jeffrey Watkins, puis je continuai : «... par contre, si M. Jason Stevens, représenté par Theodore J. Hamilton, réussit à défendre le testament de Red Stevens, y compris les dispositions relatives au don ultime, la fiducie de bienfaisance restera en place et sera confiée à la direction exclusive de Jason Stevens; et les ressources dont les membres de la famille Stevens ont hérité leur seront enlevées du fait qu'ils auront contesté le testament, et ces ressources seront ajoutées à la fiducie de bienfaisance de Red Stevens.

«Bien que cette affaire soit fort peu orthodoxe, et que j'aie accordé une latitude extrême dans la manière d'établir ou de produire des preuves, j'avertis les avocats et toutes les personnes présentes qu'il s'agit bel et bien d'une poursuite judiciaire des plus sérieuses et que je m'attendrai à ce que tous se comportent en conséquence.»

Je posai un regard impartial sur ma salle d'audience et je tournai ensuite les yeux vers Hamilton.

«Me Hamilton, veuillez, vous et votre client, établir devant ce tribunal le bien-fondé de l'argument selon lequel Jason Stevens a, en fait, respecté les dispositions relatives au don ultime telles que Red Stevens les a décrites par rapport au don de l'apprentissage.»

Suivant mon exhortation à traiter cette question avec un comportement qui sied à la Cour, Theodore J. Hamilton se leva avec dignité et lança: «Votre Honneur, nous appelons Jason Stevens à la barre.»

Jason se leva à son tour, contourna la table des avocats et prit place à la barre des témoins.

Je rappelai à tous que Jason Stevens avait déjà prêté serment et que ce serment était encore valable par rapport à son témoignage de ce jour-là.

Hamilton commença: «Jason, dans le cadre du don de l'apprentissage de votre grand-père, vous vous êtes rendu en Amérique du Sud.»

Jason le confirma d'un signe de tête, et Hamilton l'encouragea à en dire plus : «Veuillez nous parler de ce que vous y avez vécu.»

Jason répondit : «Je me suis rendu dans un village plutôt éloigné où mon grand-père avait créé une bibliothèque pour les gens de la région. J'ai travaillé à réorganiser et à cataloguer les livres de la bibliothèque.»

Hamilton lui demanda : «Qu'avez-vous découvert au sujet du don de l'apprentissage tandis que vous vaquiez à vos occupations à la bibliothèque ?»

Jason marqua une pause pour réfléchir, puis continua : «Premièrement, j'ai découvert que les gens de la région ont soif d'apprendre. Ils n'ont pas accès à des écoles, à des livres, à des bibliothèques et à des ordinateurs comme c'est notre cas. J'étais surpris d'apprendre, à mon arrivée à la bibliothèque, que la plupart des livres étaient sortis. La bibliothécaire m'a dit que la majeure partie des livres étaient toujours sortis et distribués dans une région de plusieurs kilomètres carrés parmi des villages encore plus éloignés.»

Hamilton aiguilla son témoignage en lui demandant : «N'est-il pas vrai que vous avez été kidnappé au cours de votre séjour en Amérique du Sud et retenu captif par un groupe de barons de la drogue ?»

Jason en retraça les circonstances : «Oui. Ce fut l'expérience la plus effrayante de toute ma vie. Je m'attendais à me faire tuer à tout moment.»

Hamilton demanda : «Avez-vous acquis une quelconque connaissance du don de l'apprentissage au cours de votre captivité ?»

En faisant un signe affirmatif, Jason répondit : « Lorsque j'étais dans ma cellule, il arrivait à l'occasion que d'autres prisonniers me refilent des pages d'un livre. Elles étaient écrites en espagnol, ce qui m'a pris beaucoup de temps à déchiffrer. J'en suis venu à chérir les moments où ces pages apparaissaient sous mes yeux, car elles semblaient être devenues mon lien vital avec le monde extérieur et mon seul espoir de retrouver un jour ma liberté. Je n'oublierai jamais la valeur que peut avoir ne serait-ce qu'une seule page d'un livre. »

Hamilton lui fit un signe de tête, comme s'il était pleinement satisfait, et annonça : « Ce sera tout. »

Theodore J. Hamilton retourna à sa place habituelle au bout de la table des avocats. Je regardai de l'autre côté de l'allée et fit signe à Mᵉ Dudly.

Il prit la parole : « Oui, Votre Honneur, nous avons plusieurs questions concernant cette soi-disant expérience d'apprentissage ou voyage éducatif dans la jungle que Jason Stevens a fait l'année dernière. »

Je regardai Hamilton en m'attendant à une objection de sa part, mais il se contenta de me sourire et de secouer la tête comme si cela était sans importance.

Dudly poursuivit : « M. Stevens, n'est-il pas vrai que vous avez décroché ou qu'on vous a expulsé par mesure disciplinaire de… », Dudly consulta un dossier et poursuivit, « … au moins neuf différents lycées privés avant d'obtenir censément votre baccalauréat ? »

Haussant les épaules, Jason répondit : « J'en ignore le nombre exact, mais ce doit être à peu près ça. »

« M. Stevens, reprit Dudly, il me semble que vous ayez eu le privilège de fréquenter certaines des écoles privées les plus prestigieuses des États-Unis. Comment se fait-il qu'avec tous ces avantages vous ne soyez pas même parvenu à atteindre la note de passage ou que, dans nombre de cas, vous vous soyez fait renvoyer par mesure disciplinaire ? »

Jason se racla la gorge et répondit : « Eh bien, j'imagine qu'on pourrait dire que je n'étais pas très motivé quand j'avais l'âge d'aller à l'école. »

Lui lançant un regard furieux, Dudly lui répliqua : « Je crois que ce serait vraiment peu dire, mais passons à autre chose. La suite de votre histoire semble être encore plus fascinante. »

Dudly fit les cent pas. Il prenait son élan.

« Grâce aux généreuses contributions de votre grand-père, vous semblez avoir été admis dans plusieurs universités élitaires et avoir obtenu de l'une d'elles un diplôme élémentaire et douteux qui semble correspondre à la réception par cet établissement d'un don considérable de la part de votre famille. Cependant, une fois de plus, vous n'avez manifestement pas assisté aux cours et, lorsque vous daigniez vous y présenter, vous n'aviez pas même atteint la note de passage. »

Fixant Jason du regard, il lui demanda : « Est-ce vrai ? »

Jason l'admit d'un « oui » qu'il prononça à contre-cœur.

Dudly continua d'arpenter la pièce en parlant : « Portons maintenant notre attention sur ce petit voyage en

Amérique du Sud. M. Stevens, connaissiez-vous le moindrement la culture, les coutumes ou même la langue des gens que la bibliothèque Howard "Red" Stevens desservait en Amérique du Sud ? »

En secouant la tête, Jason répondit : « Non. Je n'avais jamais entendu parler de cet endroit. J'ignorais tout à son sujet, et je ne savais pas parler la langue. »

Dudly reprit de plus belle : « Alors, nous devons comprendre que vous avez travaillé dans une bibliothèque où vous avez organisé des livres écrits dans une langue que vous ne saviez même pas lire. »

Jason acquiesça d'un « oui » et d'un signe de tête.

En intensifiant la voix, Dudly déclara : « Nous ne nous donnerons pas même la peine d'aborder votre soi-disant kidnapping et captivité par rapport à des bouts de papier que vous avez peut-être reçus. Il serait absurde de tenir compte d'un aspect ou d'un autre de cette activité dans le contexte du don de l'apprentissage. »

Hamilton répliqua du tac au tac : « Objection, Votre Honneur ! Si l'avocat adverse n'a pas l'intention d'aborder cette question, veuillez lui demander de garder ses remarques pour quelqu'un qui s'en soucierait. »

Je déclarai en regardant Me Dudly : « Objection admise. Me Dudly, veuillez limiter votre contre-interrogatoire aux questions qui concernent ce témoin. »

D'un signe dédaigneux de la main, Dudly affirma : « Votre Honneur, nous n'avons pas d'autre question à poser à ce témoin, car rien aujourd'hui n'a été fait ou dit ici qui démontre qu'il comprend le don de l'apprentissage, encore moins qu'il est apte et prêt à transmettre ce don à d'autres.»

Dudly regagna son siège à la table des avocats de l'autre côté de l'allée qui le séparait de Mᵉ Hamilton. Les deux avocats et tout le monde dans la salle me regardèrent avec grande anticipation. Je sentis la tension monter.

Les paroles du vieux juge Eldridge me revinrent de nouveau à l'esprit : *Ne rends jamais de décision avant que ce ne soit nécessaire.*

Je levai les yeux vers l'immense horloge adossée au mur du fond de la salle d'audience.

Je me prononçai : «Étant donné que midi approche, l'audience est suspendue jusqu'à 14 heures.»

Je donnai un coup sec de maillet, puis je me retirai dans la tranquillité de mon cabinet.

—◦◦◦—

Lorsque je vis apparaître le visage de Red Stevens à l'écran, j'espérai qu'il aurait des réponses à me fournir au sujet du don de l'apprentissage.

«Comme tu le sais, je n'ai jamais eu le privilège de me faire instruire. Pour ta part, tu as obtenu un diplôme quelconque de ce collège si édifiant où on t'a envoyé, cette espèce de terrain de jeux pour enfants gâtés de riches.

«Maintenant, avant que tu ne te vexes, je veux que tu saches que je respecte autant l'université que toute autre institution scolaire. C'est simplement que je ne l'ai jamais connue. Par contre, ce que j'ai connu, c'est une curiosité insatiable et le désir d'en apprendre autant que possible sur les gens et le monde qui m'entouraient. Je n'ai pas pu continuer d'aller à l'école longtemps après avoir appris à lire, mais l'aptitude à lire, à penser et à observer a fait de moi un homme relativement instruit.

« Mais l'apprentissage est un processus. Il ne suffit pas de fréquenter les salles de cours pour obtenir un diplôme et se considérer comme instruit. À mon avis, la cérémonie de remise des diplômes ne fait que marquer le "commencement" du processus d'apprentissage. La scolarité qu'on a accumulée jusque-là n'a fait que nous fournir les outils et le fondement nécessaires à l'apprentissage des vraies leçons à venir.

« En dernière analyse, Jason, la vie – quand on le lui permet – est l'enseignante par excellence. Ma fortune et ma réussite professionnelle t'ont privé de ça, et je fais en ce moment de mon mieux pour réparer les dégâts. »

À 14 heures précises, j'entrai de nouveau dans la salle d'audience et ne pus alors m'empêcher de remarquer que les membres du clan Stevens s'étaient empressés de regagner ensemble leurs places habituelles. Il semblait régner une grande anticipation de ce côté-là de l'allée. Dudly rayonnait.

Je fis claquer mon maillet, puis je déclarai : « L'audience est de nouveau ouverte. Pour ce qui est de statuer sur le don de l'apprentissage, je déclare que Me Dudly a raison de dire que Jason n'a jamais démontré ne serait-ce qu'une aptitude moyenne aux études ou à une quête formelle d'apprentissage.»

Une salve d'applaudissements provint du petit groupe représentant la famille Stevens. Je leur imposai le silence d'un regard furieux.

«Toutefois…», un gémissement correspondant se fit entendre du côté de la salle d'audience où se trouvait Dudly. «… Howard "Red" Stevens se faisait une idée plutôt non traditionnelle et informelle du don de l'apprentissage. Red Stevens était d'avis que l'instruction constituait le processus de toute une vie, et non une courte activité ou réalisation; par conséquent, cette Cour déclare que Jason Stevens a démontré qu'il comprend le don de l'apprentissage. Au cours des trente prochains jours, il aura donc l'occasion de démontrer qu'il est capable d'influencer des gens par le don de l'apprentissage qu'il a reçu de son grand-père.

«L'audience est maintenant suspendue. Nous reviendrons sur cette question dans trente jours.»

Je fis claquer mon maillet de quelques coups secs.

—∽—

Trente jours s'étaient écoulés. Jason Stevens se trouvait, une fois de plus, à la barre des témoins lorsque Theodore J. Hamilton s'en approcha.

«Jason, au cours du dernier mois, avez-vous eu l'occasion de transmettre le don de l'apprentissage que vous avez reçu de votre grand-père?»

Jason le lui confirma d'un signe de tête et d'un «oui», et Hamilton l'invita d'un geste à continuer. «J'avais du mal à déterminer comment mon grand-père s'y prendrait pour transmettre le don de l'apprentissage. J'ai donc décidé d'aller me promener dans le parc Howard "Red" Stevens. Je me sens parfois plus près de lui là-bas.»

Jason leva un regard timide vers Me Watkins, qui était assis à côté de Mlle Hastings à la table des avocats. Ils encouragèrent tous les deux Jason à poursuivre en lui faisant signe de la tête.

«Tandis que je marchais dans le parc, j'ai remarqué un groupe de garçons âgés de dix ou douze ans qui s'y était réunis. Cela m'a semblé étrange puisqu'il s'agissait d'un jour d'école. Je suis allé leur parler et leur demander pourquoi ils n'étaient pas en classe. Ils m'ont répondu qu'ils se contrefichaient de l'école et qu'ils n'apprendraient jamais rien d'important dans leur école, de toute manière.

«Je leur ai demandé quelle école ils fréquentaient et comment s'appelait leur professeur. Je me suis rendu à leur école, j'ai attendu que la classe se vide et j'y suis entré pour faire la connaissance de leur professeur.»

Jason desserra légèrement sa cravate et s'adossa à sa chaise. Après m'avoir regardé brièvement, il poursuivit.

«Il s'agit d'une école délabrée située dans un quartier défavorisé. On aurait dit qu'ils dépensaient plus d'argent à payer des gardiens armés qu'à enseigner aux jeunes. Le professeur que j'y ai rencontré était un jeune gars de mon âge qui s'appelait Tom. Tom a passé toute sa vie à se préparer à devenir enseignant, et il se consacre entièrement à ces jeunes, mais il m'a dit que la plupart des parents de ces jeunes ne s'impliquent pas dans leur éducation et que les jeunes ne voient pas ce que ses leçons ont à voir avec le monde qu'ils connaissent.

«Je lui ai demandé quelles matières ces jeunes devaient étudier. Tom m'a dit qu'ils apprenaient les fractions, la géométrie, l'économie pour débutants, et qu'ils devaient tous préparer un projet en vue d'une expo-sciences. Je me suis engagé auprès de Tom, qui était d'accord, pour créer dans le parc urbain une École du samedi supplémentaire chaque semaine.»

Me Hamilton fit un signe de tête à l'endroit de Jason, comme pour lui signifier qu'il approuvait ce que ce dernier racontait, puis lui demanda: «Comment se porte votre École du samedi?»

Arborant un sourire de fierté, Jason répondit: «Eh bien, nous avons donné des cours pendant quatre semaines. Pour s'inscrire dans mon École du samedi, on doit posséder une carte de la bibliothèque et un mot de son professeur disant qu'on a assisté à ses cours durant toute la semaine précédente. Nous y avons invité des jeunes des écoles environnantes et les plus vieux du centre de garde de jour dirigé par la coopérative des mères monoparentales.»

Jason marqua une pause, pour rassembler ses idées, puis compta discrètement sur ses doigts les activités des quatre semaines précédentes en relatant chacune. «La première semaine, j'ai obtenu que tous les jeunes viennent parce que j'avais annoncé que l'arrêt-court de l'équipe de base-ball de la ligue majeure de la région serait présent à l'École du samedi de la première semaine. Il leur a parlé de moyennes au bâton, et Tom et lui ont travaillé ensemble à enseigner et à faire aimer aux jeunes les pourcentages et les fractions. Il a remis à tous les jeunes des cartes de base-ball signées.

« La deuxième semaine, nous nous sommes réunis sur le terrain de basket-ball du parc, et le joueur avant de départ de la concession de la NBA est venu nous aider à faire une démonstration de géométrie aux jeunes. Il a fait des lancers de tous les coins du terrain en se servant du panneau pour illustrer les divers angles et montrer qu'ils changeaient selon l'endroit d'où il lançait le ballon.

« La troisième semaine, nous avons donné une leçon d'économie. Un homme d'affaires millionnaire ayant fait fortune à partir de rien, qui avait fréquenté leur école il y a trente ans, est venu en limousine leur expliquer en quoi il est important de comprendre le commerce et la finance. Tous les jeunes ont pu faire un tour de limousine, et Tom m'a dit qu'ils voulaient maintenant se mettre sérieusement à l'économie.

« La semaine dernière, j'ai fait venir au parc un conducteur de NASCAR, qui nous a amené sa voiture de Formule 1. Il a indiqué et démontré aux jeunes comment fonctionne un moteur à haute performance. Il nous a expliqué qu'on ne pouvait pas être coureur automobile ni grand-chose d'autre si l'on ne comprend pas la science fondamentale. Du coup, les jeunes en ont tiré un regain d'énergie et d'enthousiasme pour leurs projets d'expo-sciences, et ça se passe beaucoup mieux à l'école. »

Je regardai Me Hamilton et lui demandai : « Avez-vous d'autres questions à poser, maître ? »

Avec un large sourire, Hamilton me répondit : « Votre Honneur, je crois que c'est plus que suffisant. »

Du coup, Dudly se leva et aboya : « Votre Honneur, un certain nombre de questions concernant toute cette situation s'imposent. »

Laissant échapper un soupir, je l'invitai : « Veuillez poser vos questions. »

Sans se laisser démonter, Dudly s'approcha de Jason.

« M. Stevens, possédez-vous un brevet d'enseignement émis par l'État ou toute autre autorité habilitée à en émettre ? »

D'un air perplexe, Jason secoua la tête et répondit : « Non. »

« Votre joueur de base-ball, votre joueur de basket-ball, votre homme d'affaires et votre coureur automobile possèdent-ils un brevet d'enseignement ou des états de service que cette Cour pourrait reconnaître ? »

En haussant les épaules, Jason lui dit : « Je l'ignore, mais j'en doute. »

Dudly poursuivit : « Ce professeur du nom de Tom à qui vous faites allusion, a-t-il obtenu de l'école la permission de donner des cours officiels dans ce soi-disant parc urbain ? »

Jason haussa les épaules de nouveau et répondit : « Je n'en suis pas sûr. C'est seulement un groupe de jeunes qui ont besoin d'une nouvelle méthode d'apprentissage pour en venir à aimer l'école et qu'on a mis en contact avec quelques célébrités étant prêtes à leur venir en aide en leur consacrant du temps. »

Décrivant un large geste comme s'il s'adressait à tous ceux qui étaient assis dans la salle, Dudly déclara : « Eh bien, je ne vois certainement rien d'éducatif ou qui ressemble au don d'apprentissage dans ça. »

« Eh bien, moi, oui, statuai-je. Maître, avez-vous d'autres questions à poser à ce sujet ? »

Semblant découragé, Dudly secoua la tête dans un geste de défaite.

Je conclus : « La question est donc réglée. La Cour reprendra demain matin à 10 heures, pour aborder le don des problèmes. »

*Les problèmes à venir semblent être
des obstacles, alors que les problèmes
du passé se révèlent
être des bénédictions.*

Sept

LA VIE DES PROBLÈMES

S i, à l'exception de mon fauteuil de cuir, des gens ont conçu mon cabinet au palais de justice dans le but d'en impressionner d'autres, j'ai conçu mon bureau à la maison dans le but de n'impressionner personne d'autre que moi-même. Les photos qui y sont affichées servent uniquement à m'aider à me remémorer des époques, des lieux et des gens qui n'ont d'importance qu'à mes propres yeux. Cependant, bien que cet étalage de photos puisse n'impressionner personne d'autre, il illustre sans conteste les événements marquants de ma vie.

Ma table de travail est immense, mais contrairement à celle qui se trouve dans mon cabinet au palais de justice, elle est fonctionnelle. Elle est entièrement couverte de ce qui peut sembler des débris chaotiques, mais, en réalité, je sais où tout se trouve et j'arrive à mettre la main sur n'importe quoi quand je le veux. Je tire un certain réconfort du fait que cette désorganisation déconcerterait n'importe qui.

Il y a un certain nombre de livres de droit bien connus qui partagent des étagères avec des livres portant sur toutes sortes de sujets allant du golf à la pêche, ainsi que des romans allant du western à la science fiction. Rex, mon retriever du Labrador, s'est fait un nid douillet bien à lui sur le vieux tapis devant la cheminée. Comme moi, il ne demande rien durant le temps qu'il se trouve dans le bureau, sinon qu'on le laisse tranquille et que tout autour de lui reste tel quel.

J'enfreignis un des règlements non écrits de mon bureau en pensant à ma journée en cour; toutefois, puisqu'il s'agit d'un de mes règlements et que je me trouve dans un bureau où tout pouvoir m'est conféré, j'ai le loisir de suspendre l'application de tout règlement ou de l'amender à ma guise.

Rex et moi nous préparions à regarder un match de football au grand écran de télé qui se trouvait tout près. Il ne s'agissait pas d'un match ordinaire, mais d'un affrontement entre l'équipe locale et son ennemi juré du même État. Je sais que beaucoup de parties des États-Unis n'ont pas même d'équipe de football professionnel, mais je crois encore qu'un des grands progrès que l'on ait faits dans ce sport est survenu quand on a mis deux équipes professionnelles dans le même État. Je portais mon maillot aux couleurs de l'équipe locale et j'avais mes rafraîchissements à ma portée.

Le maillot en question avait fait l'objet de plusieurs débats avec ma bien-aimée Marie, car il est maintenant plus vieux que le plus vieux des joueurs encore dans la ligue majeure. Environ dix ans plus tôt, Marie m'avait fait savoir que je devrais donner mon maillot à une boutique de bienfaisance. Au cours des récents débats, elle avait réduit sa proposition de don de mon maillot à celle de son inclusion dans le sac des chiffons de la famille destinés au lavage des voitures.

Étant donné que je ne porte ce maillot que dans mon bureau, où j'ai tous les pouvoirs, elle s'est laissée fléchir, mais en établissant un règlement propre à sa juridiction, qui englobe tout lieu hors de mon bureau. Le règlement de Marie stipule que le maillot de football en question ne peut être porté hors de mon bureau, surtout si nous allons quelque part ou nous recevons des gens à la maison.

Étant donné que je ne souhaitais aller nulle part ni voir personne, le maillot de football était ce que je pouvais choisir de mieux dans ma penderie. J'avais demandé à Rex, le superchien, s'il désapprouvait. N'entendant aucune remarque contraire, je sus que nous voyions les choses du même œil.

Je réglai la télé à la chaîne appropriée et attendis que le match commence. C'est alors que, plutôt que de faire entendre les remarques d'avant-match, on diffusa un bulletin de nouvelles.

Elle apparut à l'écran, se tenant debout près de L. Myron Dudly. C'était Sarah Stevens, la mère de Jason Stevens et membre de la partie qui s'opposait à Jason dans l'affaire Red Stevens.

On demanda à Sarah : « Pourquoi vous opposez-vous à votre propre fils dans cette affaire judiciaire ? »

119

Elle sourit à la caméra et s'exprima comme si elle discutait d'un dîner mondain des plus agréables ou d'un accessoire de mode.

«Jason est un bon garçon. Il est juste confus. Ce n'est pas vraiment une dispute. On ne fait que régler certaines questions juridiques détestables qui persistent.»

Le reporter poursuivit: «Ne pensez-vous pas que Jason devrait être autorisé à donner l'argent de votre beau-père de la manière dont Red Stevens l'a prévu au moyen de la fiducie de bienfaisance?»

Sarah offrit ses commentaires en ricanant: «Eh bien, je n'ai rien contre les œuvres de bienfaisance, mais il s'agit de l'argent que mon beau-père a gagné par son travail et il devrait donc aller à ses enfants. Par ailleurs, nous faisons beaucoup d'œuvres de bienfaisance.»

«Combien en faites-vous, au juste, des œuvres de bienfaisance?» lui demanda le reporter du tac au tac.

Sarah sembla perplexe. Dudly balbutia, comme s'il souhaitait faire taire Sarah, mais celle-ci répondit: «Eh bien, je sais simplement que je viens en aide à beaucoup d'organismes de bienfaisance. La semaine dernière encore, j'ai donné un gros sac de vêtements, et nous réservons toujours des places à l'opéra, le bal et le ballet, et… eh bien, vous savez. Tout ce qu'il convient de faire.»

Le reporter lui demanda: «Sarah, êtes-vous en communication avec votre fils, Jason?»

Avec le sourire, elle répondit: «Eh bien, nous ne parlons pas moins aujourd'hui que nous nous sommes parlés jusqu'ici.»

Tandis que le reporter commençait à remercier Sarah Stevens et à renvoyer la balle au présentateur du bulletin de nouvelles, Dudly l'interrompit avec autorité : «Je crois que ma cliente a répondu à toutes les questions auxquelles elle devait répondre. On ne se prononcera plus sur cette question.»

Le visage perplexe du reporter s'estompa jusqu'à ce que l'écran devienne entièrement noir, puis le match de football débuta.

J'avais la tête complètement ailleurs en cherchant à atteindre la télécommande pour éteindre la télé en début de match lorsque je remarquai que Rex avait les yeux rivés à l'écran avec beaucoup d'anticipation dans le regard. Étant donné que je lui avais promis toute la semaine que nous regarderions le match à la télé, je lui lançai un bretzel et respectai mon engagement.

—⁂—

Comme d'habitude, le lendemain matin, je saluai le lever du soleil par la fenêtre de mon cabinet. Je trouvai le DVD de la vidéocassette que Red Stevens avait enregistrée pour Jason et qu'il avait intitulée *Le don des problèmes*. Je me dis, quand Red Stevens prit la parole, que l'expression «Le don des problèmes» avait quelque chose d'ironique.

«Jason, la vie est remplie de contradictions. En fait, plus ça ira, plus la réalité de la vie te semblera n'être qu'un seul et même grand paradoxe. Mais si tu vis suffisamment longtemps et réfléchis suffisamment profondément, tu découvriras dans toute cette confusion un ordre miraculeux.

«Toutes les leçons que je m'efforce de t'enseigner, dans le cadre du don ultime que je te lègue par testament, les gens les apprennent habituellement au fil de la vie, en étant confrontés à des luttes et à des problèmes. Tout défi qui ne triomphe pas de nous nous affermit en bout de ligne.

«Une des grandes erreurs que j'ai commises dans la vie, c'est d'avoir protégé tant de gens, y compris toi, des problèmes de la vie. Croyant, à tort, agir dans votre intérêt, je vous ai empêchés d'apprendre à résoudre ces problèmes, en les éliminant de votre environnement.

«Malheureusement, les êtres humains ne peuvent vivre éternellement dans le vide. L'oisillon doit se démener pour sortir de sa coquille. Mais si une personne bien intentionnée cassait cette coquille pour l'en libérer, elle aurait beau croire lui avoir rendu un fier service, il n'en resterait pas moins qu'elle l'exposerait ainsi à de grands dangers et le rendrait incapable de survivre dans son nouvel environnement. Au lieu d'aider l'oisillon, la personne en question l'aurait, en fait, détruit. Un élément de son environnement aurait tôt fait d'attaquer et de triompher de l'oisillon, désormais aucunement en mesure de régler un problème qui, autrement, ne lui aurait pas été insurmontable.

«Si on nous empêche de régler de petits problèmes, d'autres un peu plus graves auront raison de nous. Une fois qu'on a réalisé ça, on ne cherche plus à éviter les problèmes, mais on les considère comme des défis qui nous affermiront et nous procureront la victoire à l'avenir.»

Je réfléchis à la possibilité d'accueillir favorablement les problèmes. Je me remémorai plusieurs bonnes choses qui s'étaient produites dans ma vie privée et professionnelle, et je dus admettre que chacune d'elles s'était accompagnée d'un certain nombre de problèmes.

—∞—

L'heure H arriva. Je revêtis ma toge noire, je franchis le pas de la porte d'acajou et je gravis les trois marches me séparant de mon perchoir judiciaire bien connu donnant sur la salle d'audience. J'y pris place et demandai que tous s'assoient. Je passai en revue mes notes du procès, je retirai mes lunettes de lecture et je promenai le regard sur la foule qui remplissait la salle à craquer.

Les mois qui s'étaient écoulés depuis le début du procès n'avaient diminué ni la frénésie médiatique ni la curiosité entourant Red Stevens et son testament.

Je m'éclaircis la voix et commençai : « Aujourd'hui, nous allons nous intéresser à la cinquième des douze dispositions afférentes à la succession de Howard "Red" Stevens. Cette audience portera sur le don des problèmes. Je demanderai à l'avocat de Jason Stevens, Me Theodore J. Hamilton, de nous faire savoir en quoi les dispositions en question ont été respectées. »

Hamilton se leva avec une grâce et une agilité étonnantes pour un homme de quatre-vingts ans bien sonnés. Discernant le grand sérieux et le grand respect que j'accordais à cette audience, il agit en conséquence.

« Merci, Votre Honneur. Une fois de plus, la Cour doit déterminer et vérifier si chaque disposition du testament de Howard "Red" Stevens a été correctement exécutée et si le legs accordé à Jason Stevens était, et est encore, en règle. »

Hamilton marqua une pause pour produire un effet, mais Dudly lança : « Votre Honneur, l'avocat adverse devrait comprendre après cinq mois d'audience que le procès en cours a pour but d'examiner à la loupe le legs ridicule, présenté sous la forme d'une fiducie de bienfaisance confiée à Jason Stevens, qui prive de leur héritage légitime les trois enfants et autres héritiers qui sont les descendants directs de Red Stevens. »

Hamilton éclata d'un rire bruyant et répliqua : « Il se peut que ce soit la raison de votre présence ici, Me Dud... » Sa quinte de toux maintenant bien connue le reprit alors. Après s'être remis, il poursuivit : « ... mais je suis là pour une raison bien différente. Je demanderais à l'avocat adverse de présenter son propre argument et de me laisser le soin de présenter le mien. »

Je dus intervenir, comme si j'avais affaire à deux gamins qui se chamaillaient : « Maîtres, je comprends très bien les raisons de la présence ici de chacun de vous et les positions des parties que vous représentez ; par conséquent, si vous voulez bien nous épargner les babillages superflus, je demanderai à Me Hamilton de présenter ses arguments. »

Hamilton fit signe à Jason de prendre place à la barre des témoins et commença son interrogatoire.

«Jason, vous rappelez-vous le mois que vous avez passé, tel que le stipulait le testament de votre grand-père, à explorer le don des problèmes?»

Jason répondit solennellement: «Oui, monsieur. Je crois pouvoir dire sans me tromper que ce fut à la fois la meilleure et la pire époque de ma vie.»

«Pouvez-vous nous en donner l'explication?» lui demanda Hamilton.

Jason lança un regard discret en direction de sa fiancée, Alexia, assise aux côtés de Mlle Hastings à la table des avocats. Tandis que Jason parlait, Mlle Hastings plaça sa main sur celle d'Alexia.

«Mon grand-père m'a dit que je devrais aller trouver des gens qui faisaient face à de vrais problèmes dans la vie et tirer des leçons de leurs problèmes.»

Hamilton lui indiqua d'un signe de tête qu'il comprenait, puis lui demanda: «Alors, qu'avez-vous fait?»

Jason refoulait ses émotions en disant: «Je suis allé faire une promenade pour réfléchir au don des problèmes. En passant près d'un parc, j'ai remarqué une fillette en train de se balancer sous le regard triste de sa mère. Je suis allé les retrouver et j'ai découvert qu'Emily, la fillette, était atteinte d'un cancer terminal.»

Tandis que Jason poursuivait son explication, je ne pus m'empêcher de remarquer les quelques larmes qui coulaient sur le visage d'Alexia.

«J'ai appris à connaître Emily et sa mère, Alexia...», indiqua Jason en désignant sa fiancée du doigt, «... durant le temps qu'Emily avait encore à vivre.»

«Pouvez-vous nous aider à comprendre ce que vous avez appris auprès de la jeune Emily durant les derniers mois de sa vie?»

La voix de Jason se brisa et les larmes lui montèrent aux yeux tandis qu'il se remémorait cette époque. Puis, il dit: «Emily est devenue de plus en plus malade, malgré tout ce que tout le monde faisait. Je sais que ça devait être douloureux et terrifiant pour une enfant si jeune. Pourtant, elle ne se plaignait jamais, et elle m'a enseigné tellement de choses par ses problèmes et ses souffrances.

«D'abord, elle m'a enseigné ce qu'est la joie – que quelles que soient les circonstances, on peut être heureux simplement parce qu'on l'a décidé. Puis, elle m'a enseigné ce qu'est le courage – qu'on n'a vraiment rien à craindre de pire que de vivre une vie remplie de crainte. Pour terminer, elle m'a enseigné à aimer. J'ai appris à l'aimer en tant que personne inoubliable et spéciale de ma vie. Elle m'a aussi enseigné à aimer sa mère, et elle nous a laissés tous les deux avec cet amour spécial. J'espère passer le reste de ma vie avec Alexia, à apprendre à aimer et à mettre en application toutes les leçons que j'ai apprises auprès d'Emily et que j'ai tirées de ses problèmes.»

Ému, Hamilton toucha la main de Jason qui reposait sur la barre devant lui.

Il lui dit: «Merci, mon garçon. Ce n'était pas facile, mais c'était important.»

Après s'être éclairci la voix, Hamilton me regarda et déclara: «Votre Honneur, nous allons nous contenter de cela pour l'instant.»

Dudly se leva pour prendre la parole et il me redonna foi dans les avocats en déclarant : « Votre Honneur, nous acceptons ces explications comme correspondant aux dispositions stipulées. »

Mon respect pour Dudly s'en trouvant renouvelé, je lui fis un signe de tête affirmatif et lui dis : « Merci, Mᵉ Dudly. »

Je m'essuyai les yeux, puis j'affirmai : « M. Stevens a démontré à la Cour au-dessus de tout doute qu'il a pleinement vécu et appris le don des problèmes. Au cours des trente prochains jours, il aura l'occasion de démontrer sa capacité d'employer la fiducie de bienfaisance de Red Stevens pour transmettre une compréhension du don des problèmes à d'autres personnes. L'audience est suspendue. »

Je m'empressai de regagner mon cabinet pour m'abandonner à un étalage d'émotions qui ne siérait pas à la dignité d'un juge en exercice, mais c'était la chose à faire. Je pensai à une petite fille spéciale qui, même à l'article de la mort, nous avait enseigné, à moi et à toutes les autres personnes présentes dans la salle d'audience, beaucoup de choses sur la façon dont nous devrions vivre.

—⁓—

Un mois plus tard, nous avions tous retrouvé nos places. Jason, sous la direction de Theodore J. Hamilton, nous racontait ses récentes activités par rapport au don des problèmes.

« Alexia et moi avons décidé que nous devions venir en aide à d'autres personnes devant traverser des épreuves comme la nôtre. » Jason sourit à Alexia, qui lui rendit son sourire. « Nous avons décidé qu'un des plus grands problèmes auxquels un être humain pourrait se heurter serait de perdre un enfant. Alexia et moi, nous nous sommes sentis poussés à venir en aide à ces gens de la seule manière dont je crois possible de le faire : par l'empathie de quelqu'un qui a vécu la même tragédie.

« Un livre, ou des conseils, ou une personne bien intentionnée qui n'a pas vécu ce que l'autre vit ne sera pas à la hauteur. On n'arrive jamais à mettre une telle chose derrière soi ou à traverser cette épreuve, mais nous croyons qu'avec l'aide d'une personne étant passée par-là on peut apprendre à vivre avec la douleur et même à en sortir grandi. »

Hamilton lui fit un signe de tête en guise d'approbation et de compréhension.

Jason poursuivit : « Alexia et moi, nous sommes allés dans des hôpitaux, des établissements religieux et des maisons de retraite pour leur faire savoir que, lorsqu'ils rencontreraient des parents vivant la perte tragique d'un enfant, nous aimerions avoir l'occasion de simplement nous entretenir avec eux et de leur faire part de nos expériences. Au cours du dernier mois, nous avons rencontré sept familles qui ont perdu ou sont en train de perdre un enfant. Nous avons rencontré certaines d'entre elles plus d'une fois. C'est probablement la chose la plus difficile que j'aie jamais faite, mais je crois que c'est peut-être aussi la meilleure que je ferai jamais. »

Hamilton signifia à Jason son approbation d'un signe de tête. En se tournant vers moi, il affirma : «Votre Honneur, ce sera tout. »

Je fis signe à M⁰ Dudly de procéder à son interrogatoire en lui demandant : «Maître, avez-vous quelque chose à ajouter à la déposition ? »

Depuis son siège, derrière la table des avocats, Dudly déclara : « Nous n'avons ni question ni argument à présenter à la Cour. »

L. Myron Dudly, son équipe juridique, et même la famille Stevens qui se trouvait dans les premières rangées derrière eux, semblaient tous être émus. Personne ce jour-là, y compris moi-même, ne put échapper à l'incidence émotionnelle du message transformateur que nous avait laissé une petite fille du nom d'Emily.

Je donnai un coup de maillet et je statuai : «L'affaire est résolue par consensus des avocats et décision de la Cour. Demain matin, à 10 heures, nous aborderons la question du don de la famille. »

*Il y a des familles qui se forment
par naissance, d'autres par
documents juridiques,
et d'autres encore se forment
par amour.*

Huit

LA VIE DE LA FAMILLE

*e lendemain matin, dans mon cabinet, je me préparai à ce qui, je le savais, allait être une question chaudement débattue au sujet du don de la famille. Me Dudly et son équipe avaient sagement évité tout conflit futile par rapport au don des problèmes, mais je n'ignorais certes pas qu'ils allaient exercer des pressions ce jour-là dans la salle d'audience.

Je gardai l'esprit ouvert et libre de tout préjugé, comme tout juge se doit de le faire, mais – en même temps – je laissai mon esprit errer parmi les possibilités et les arguments qui me seraient peut-être présentés.

La famille Stevens était unique à bien des égards et dysfonctionnelle à bien d'autres égards. Son argent, son pouvoir, son influence et sa célébrité occasionnelle lui avaient valu plusieurs avantages, ainsi que plusieurs inconvénients.

Je ne pus m'empêcher de réfléchir à ma propre famille et à la vie relativement simple que nous avions vécue. Nous avions été contraints de nous passer d'un grand nombre de choses accessibles aux riches et aux célébrités, mais nous avions fait l'expérience d'un engagement et d'un amour profonds que nous n'échangerions pas même contre toutes les richesses et la célébrité du monde.

J'étais si profondément perdu dans mes pensées que j'en perdis la notion du temps. Je lançai : « Entrez ! » en réponse à un coup frappé à la porte, et Jim, mon greffier, passa la tête par l'ouverture de la porte et me dit : « Votre Honneur, quand vous voudrez, tout le monde est prêt. »

Je jetai un coup d'œil à l'horloge en tendant le bras pour saisir ma toge. La journée d'audience avait déjà deux minutes d'écoulées lorsque je pris place dans la salle et que je signalai le début de l'audience de mes coups de maillet.

« Aujourd'hui, nous allons considérer le don de la famille. Étant donné que toute cette affaire se déroule entre les membres d'une même famille, et concerne la fortune d'une famille, je m'attends à ce que les débats suscitent des émotions fortes. Comme toujours, je tiens à rappeler aux avocats, à leurs clients et à toutes les personnes présentes qu'il s'agit d'une action en justice qui sera traitée avec l'ordre et le respect qui lui sont dus. La Cour appelle Theodore J. Hamilton à faire entendre ses arguments concernant cette question. »

Hamilton contourna la table des avocats et s'approcha de Jason, qui s'asseyait déjà à la barre des témoins.

Hamilton prit la parole : « Jason, pourriez-vous nous faire savoir ce que vous avez appris par la leçon que votre grand-père, Red Stevens, vous a enseignée au moyen du don de la famille ? »

D'un signe de tête affirmatif, Jason se lança : « Je me suis rendu à la Résidence pour garçons Red Stevens, dans le Maine, où j'ai passé un mois à travailler auprès d'un groupe de garçons. Certains d'entre eux avaient une famille qui ne faisait pas partie de leur vie. D'autres n'avaient aucune famille.

« J'ai mis un certain temps à réaliser que ces jeunes de la Résidence pour garçons s'étaient formé leur propre famille. Ils travaillaient ensemble, ils jouaient ensemble et ils s'encourageaient entre eux de façons étonnantes. Ils m'ont enseigné qu'une famille ne correspond pas toujours à l'image de la famille traditionnelle telle qu'on en parle dans les livres d'histoires et qu'on voudrait tous que soit la nôtre, mais qu'il arrive qu'une famille soit là où on la trouve. »

Hamilton hocha la tête comme s'il était satisfait de sa réponse, puis fit un signe de main vers Dudly, à qui il indiqua : « Le témoin est à vous. »

L. Myron Dudly se changea en un requin féroce flairant le sang. Il savait, comme son équipe juridique et la famille Stevens le savaient, qu'il s'agissait ici d'un des obstacles à surmonter qui pourrait bien leur faire gagner leur procès. Leur désir d'avoir gain de cause était avivé par le fait que, s'ils arrivaient à annuler ne serait-ce qu'un des dons à Jason faisant partie du don ultime que constituait le testament de Red Stevens, ils se partageraient entre eux plusieurs milliards de dollars. Par contre, ils avaient la peur au ventre à l'idée de tout perdre s'ils échouaient.

Dudly passa à l'attaque: «M. Stevens, devant la Cour aujourd'hui, vous semblez vous attendre à ce que nous jugions que vous comprenez le don de la famille et que vous êtes en mesure d'aider d'autres personnes par rapport à ce don.»

Jason le lui confirma d'un signe de tête affirmatif et se contenta de lui répondre: «Oui, monsieur.»

Dudly poursuivit: «Il serait difficile d'imaginer quelqu'un de moins qualifié que vous en train de parler du don de la famille.»

«Votre Honneur, tonna Hamilton, si l'avocat de la partie adverse a une question à poser, veuillez l'encourager à la poser ou à s'asseoir.»

Lançant un regard furieux à Dudly, je statuai: «Objection admise. Me Dudly, avez-vous des questions à poser à ce témoin?»

Dudly insista: «M. Stevens, vous avez témoigné devant la Cour que vous vous sentiez si peu lié à Red Stevens et que vous aviez si honte de lui que vous ne le reconnaissiez pas même comme votre grand-père.»

Jason fit un signe de tête sans grande conviction et reconnut presque dans un murmure: «C'est vrai.»

Dudly arborait le large sourire d'un requin sentant sa victoire imminente lorsqu'il dit: «M. Stevens, votre propre famille...», Dudly fit un geste de la main pour désigner son côté de la salle d'audience, «... s'est réunie contre vous dans cette affaire. Elle a dû se lancer dans des poursuites judiciaires à seule fin de protéger les biens de la famille qui devraient être légitimement légués aux descendants directs de Howard "Red" Stevens. N'avez-vous pas le sentiment de déchirer votre famille, plutôt que de démontrer une quelconque compréhension du don de la famille?»

Jason laissa échapper un soupir et tourna son regard vers Hamilton. Puis, il déclara d'une voix rauque: «J'ignore comment répondre à ça.»

Dudly frappa dans ses mains et lui dit: «Je suis certain que vous ignorez comment répondre à ça. Je ne le saurais pas non plus.»

Dudly fit les cent pas en formulant pour lui-même sa question suivante, avant de poursuivre: «Maintenant, pouvez-vous nous dire – même si vous n'entretenez pas vraiment de relation avec votre famille – comment vous en êtes venu à bien comprendre l'importance de la famille simplement en passant quelques semaines dans une espèce de camp pour garçons?»

Jason lâcha: «Il s'agit d'une Résidence pour garçons.»

Dudly se moqua de lui en s'inclinant légèrement et en entonnant: «Veuillez m'excuser. Nous l'appellerons Résidence pour garçons.»

Semblant reprendre contenance, Jason indiqua: «J'ai appris beaucoup de choses là-bas qu'il serait difficile d'apprendre auprès de gens qui ont une bonne vie de famille. Je crois qu'il est difficile de savoir combien une chose a de l'importance jusqu'à ce qu'elle ne soit plus. Sans certaines des leçons que j'ai apprises au sujet du don de la famille grâce à mon grand-père et aux gens de la Résidence pour garçons, je n'aurais pas pu commencer à fonder une famille avec Alexia et Emily. Je crois qu'au fond seuls les membres d'une famille peuvent juger de la valeur de cette famille.»

Dudly se frotta les mains et conclut ceci: «Eh bien, jeune homme, dans cette affaire, quelqu'un va devoir vous juger au sujet de la famille, et j'implore la Cour de déclarer les membres de la famille Stevens héritiers légitimes et parents naturels de leur bien-aimé patriarche, Howard "Red" Stevens.»

Cette question était loin d'être facile à trancher, et je souhaitais prendre un peu de temps et un certain recul par rapport aux arguments qui m'avaient été présentés avant de rendre ma décision. Mon cerveau et la loi que je chérissais tant penchaient d'un côté. Mon cœur et mes émotions penchaient de l'autre côté. Je donnai un coup sec de maillet et j'annonçai: «L'audience est suspendue pour le déjeuner. Les débats reprendront à 14 heures.»

Je retournai dans mon cabinet, je quittai ma toge d'un seul geste et je saisis le DVD intitulé *Le don de la famille*. En le glissant dans le lecteur de DVD, j'espérai et je priai que le message de Red Stevens m'indiquerait clairement la voie à suivre.

Red s'adressa à Jason: «Maintenant, Jason, je réalise que notre famille est aussi dysfonctionnelle qu'une famille peut l'être, et j'accepte d'en assumer toute ma part de responsabilité. Cependant, il y a une leçon à tirer de la meilleure comme de la pire des situations familiales. Dans la vie, soit qu'on apprenne ce qu'on veut, soit qu'on apprenne, malheureusement, ce qu'on ne veut pas de notre famille. Or, de tous les jeunes hommes du monde, je t'ai choisi, toi. J'ai demandé à M. Hamilton d'accomplir pour toi cette tâche monumentale en mon nom parce que tu es mon petit-neveu. C'est difficile de comprendre que cela signifie quelque chose, mais c'est le cas, et je veux que tu le saches.

« La famille nous procure nos racines, notre patrimoine et notre passé. Elle nous procure aussi le tremplin vers notre avenir. Rien dans ce monde n'est plus fort que les liens qui peuvent unir une famille. Il s'agit des liens d'un amour pur, qui résistera à toutes les pressions, aussi longtemps qu'on lui accordera la priorité.

« Il importe que tu réalises qu'il y a des familles de toutes formes et de toutes tailles. Il y a des gens très bénis qui peuvent vivre toute leur vie au sein de la famille dans laquelle ils sont nés. Par contre, il y en a d'autres qui, comme toi, Jason – à cause de circonstances particulières – n'ont eu d'une famille que le nom. Ces gens-là sont donc bien obligés d'aller s'en créer une. »

J'étais bien calé dans mon fauteuil, à méditer les paroles puissantes de Red Stevens, lorsque l'interphone sonna. J'appuyai sur le bouton et dis « oui ». J'entendis alors la voix de Scott, mon sténographe toujours compétent et efficace, me dire : « Votre Honneur, nous sommes tous réunis dans la salle de conférence pour le déjeuner. »

« J'arrive », lui répondis-je, en espérant qu'il ne se soit pas rendu compte que j'avais oublié ce rendez-vous.

Depuis plusieurs années, je donnais un déjeuner mensuel pour mes collègues du tribunal, et celui du mois en cours tombait ce jour-là. Je me rendis d'un pas pressé à la salle de conférence qui était généralement réservée aux juges et aux avocats, mais qui tenait également lieu de rencontre pour mes déjeuners collectifs mensuels. Je pris place au bout de la table, sous le portrait de mon précieux et défunt mentor et ami, le juge Eldridge. Depuis des années, chaque fois que je m'assoyais à cet endroit, je sentais sa présence et je jugeais approprié que le juge Eldridge participe à nos déjeuners mensuels.

Assis à ma droite, il y avait Paul, mon greffier. La plupart des gens considéraient Paul comme un véritable géant. Je ne lui avais jamais demandé quelle était sa taille exacte, mais j'imaginais qu'il faisant probablement près de deux mètres. Le fait qu'il ait été si imposant physiquement nous avait bien servi à maintes reprises dans la salle d'audience lorsque nous avions été aux prises avec des individus particulièrement agités ou même potentiellement violents. Même si nous savions tous que Paul n'aurait jamais fait de mal à une mouche, sa présence avait permis de nous éviter un certain nombre de situations inconfortables.

Assis à la droite de Paul se trouvait mon autre greffier, Jim. Si Paul était imposant et intimidant, Jim, quant à lui, était d'une présence accommodante et apaisante partout où il allait. Il semblait comprendre profondément les gens et être capable de vraiment communiquer avec eux. Je l'avais vu au fil des ans maîtriser bien des gens en colère simplement par un sourire apaisant et une parole gentille.

De l'autre côté de la table, en face des greffiers, se trouvait juste à ma gauche mon sténographe de longue date, Scott. Tandis que nous nous apprêtions à déjeuner,

Scott organisa toutes les pilules et les divers médicaments qu'il prenait sans cesse pour arriver à vaincre le cancer. Lorsque nous avions tous appris que Scott avait reçu un diagnostic de cancer, tout le monde en avait été dévasté et déconcerté. Tout le monde, sauf Scott, bien entendu. Je n'ai cessé d'admirer la grâce, la dignité et la persévérance dont il faisait preuve dans tout cela.

Lorsque nous commençâmes à manger, la discussion alla de nos familles aux sports, en passant même par la politique. Nous avions beaucoup d'émotions et d'expériences en commun, du fait que nous étions toujours ensemble sur la ligne de tir dans la salle d'audience. D'une certaine manière, qui serait difficile à expliquer, c'est presque comme si nous avions fait la guerre ensemble. Nous nous faisions confiance et nous nous comprenions les uns les autres de manière profonde.

Tandis que mes trois collègues badinaient entre eux avec bonne humeur, je m'adossai à ma chaise – avec le juge Eldridge au-dessus de moi – et je savourai simplement le fait d'être en leur compagnie.

Vers la fin de notre déjeuner et à l'approche de l'audience de l'après-midi, mes pensées retournèrent à Red Stevens et à ses paroles au sujet de la nature unique et merveilleuse de la famille. En me retirant de la table, je réalisai que – ici même, dans cette salle spéciale, autour de cette table spéciale – nous avions formé une sorte de famille qui nous était propre.

—◆—

De retour dans la salle d'audience, je commençai en adressant mes remarques à L. Myron Dudly et à la famille Stevens.

«La Cour apprécie véritablement les arguments de l'avocat de la famille Stevens et est d'accord pour dire que Jason Stevens possède peu, sinon pas, d'expérience dans ce que quiconque définirait comme une famille traditionnelle.»

Des murmures enthousiastes bercèrent ce côté de la salle d'audience, car la famille s'attendait à remporter la victoire.

«Par contre, après avoir passé en revue les pensées et les croyances de Red Stevens concernant le don de la famille, j'en suis venu à la conclusion que, bien qu'il soit inestimable de connaître une expérience merveilleuse auprès de sa famille naturelle, cela n'est pas nécessaire.»

Je portai mon regard vers Jason et Hamilton, assis de l'autre côté de l'allée, et je statuai: «La Cour est d'avis que Jason Stevens a démontré, bien que de manière unique et non conventionnelle, qu'il comprend le don de la famille tel que Red Stevens l'a défini. Elle lui accordera donc les trente jours habituels pour faire la démonstration de sa capacité de transmettre ce don à d'autres qui ont besoin de toutes les choses qu'une famille peut apporter.»

—∿—

Au cours du mois suivant, je réfléchis au concept de la famille en l'abordant sous de nouveaux angles. Je me sentis plus reconnaissant pour ma famille biologique, et plus conscient et plus heureux de ma famille professionnelle et des autres gens qui rendent ma vie si spéciale.

Jason avait repris sa place à la barre des témoins, et Hamilton l'avait invité à expliquer les actions qu'il avait entreprises au cours du dernier mois afin d'aider des gens à comprendre le don de la famille.

Jason s'expliqua : «J'ai longuement réfléchi aux différentes personnes que j'ai rencontrées et qui ont besoin de ce qu'une famille peut apporter. Les jeunes de l'École du samedi, dans le parc, ne vivent pas tous au sein d'une famille heureuse, mais Tom et tous les autres de l'École du samedi semblent commencer à jouer ce rôle. Les mères monoparentales doivent se démener pour créer une vie de famille stable, mais la coopérative de garde et ce qu'elles font ensemble font toute une différence. Alors, j'ai décidé de me concentrer sur les sept familles qu'Alexia et moi aidons à traverser l'épreuve de la perte réelle ou à venir d'un enfant.

«Au cours du dernier mois, on nous a encore contactés au sujet d'autres familles qui font face à cette horrible situation. Nous avons organisé une courte séance informelle de groupe de soutien afin de permettre aux familles qui souffrent de partager entre elles les souffrances, les joies et les leçons apprises.

«Ça s'est vraiment bien passé, alors on va en faire un événement mensuel. Beaucoup de familles qui ont perdu un enfant il y a quelques mois sont maintenant capables de se mettre à aider celles qui commencent tout juste à faire face à la réalité du combat qui les attend. Ces familles déchirées peuvent se réunir et commencer à trouver le moyen de combler le vide incroyable que laisse le départ d'un enfant au sein d'une famille. »

N'ayant aucune autre question à poser, Hamilton confia le témoin à Me Dudly.

Dudly lui demanda : « Y a-t-il parmi ces gens des personnes ayant des liens de parenté quelconques ? »

« Non, lui répondit Jason. Ces gens n'ont pour lien entre eux que le fait de partager la même douleur et la même souffrance. »

« Alors, en réalité, lui demanda Dudly, il se peut que vous soyez arrivé à créer un groupe de soutien efficace et, aussi louable que cela puisse être, comment pouvez-vous donner à ce groupe le nom de famille ? »

Jason marqua une pause de quelques secondes, puis parla avec conviction : « Mon grand-père est d'avis, comme je le suis, qu'une famille n'est rien de plus ni rien de moins qu'un groupe de personnes dans notre vie qui nous procure l'amour, le soutien et les encouragements que nous souhaitons tous recevoir et dont nous avons tous besoin de la part d'une famille. »

Dudly congédia Jason et s'adressa directement à moi avant que je statue.

Dudly plaida ainsi : « Votre Honneur, la Cour doit statuer en faveur de mes clients sur cette question de droit par rapport au don de la famille tel que Red Stevens l'a décrit dans son testament. Bien qu'il soit possible que M. Jason Stevens ait accompli une œuvre louable, on ne peut aucunement dire qu'elle vient en aide aux gens dans le cadre du don de la famille.

«Ces gens…», commença Dudly, en désignant son côté de la salle d'audience, «… sont une famille dans tous les sens du terme, et ils méritent que la Cour les reconnaisse en tant que tels en leur rendant les biens de leur famille.»

Je remerciai Mᵉ Dudly d'avoir présenté son argument, je remerciai Mᵉ Hamilton d'un signe de tête, et je me prononçai officiellement.

«La Cour déclare que Jason Stevens n'a pas travaillé dans un domaine que l'on définirait généralement comme une famille. Son travail ne correspond pas non plus à la définition que la loi donne à la famille; toutefois, il est conforme à la définition que Red Stevens donne à la famille telle que ce dernier a voulu le lui faire comprendre par le don de la famille. La Cour statue donc en faveur de Jason Stevens, et l'audience est maintenant suspendue. Elle reprendra à 10 heures demain matin, et nous examinerons alors le don du rire.»

Il est impossible de vivre la peur,
la haine ou la défaite quand on rit.

Neuf

LA VIE DU RIRE

*A*près avoir rendu ma décision finale concernant le don de la famille, je retournai à mon cabinet afin de m'acquitter d'une partie de mon travail de bureau. J'avais l'intention de rester en ville, au palais de justice, pour y attendre l'arrivée de ma belle compagne. Marie et moi sommes d'avis que notre relation est demeurée aussi agréable et vibrante qu'au début parce que nous discutons et nous sortons en amoureux comme nous le faisions au début de nos fréquentations.

J'avais presque terminé l'énorme pile de dossiers que les commis juridiques avaient mis devant moi lorsque Marie franchit le seuil de la porte d'acajou.

Avec le sourire, elle me dit: «Votre Honneur, vous avez intérêt à sortir vos plus belles manières ce soir, car j'ai reçu une autre offre.»

En lui souriant, je lui demandai: «Et de quel genre d'offre parlons-nous ici?»

«Eh bien, m'expliqua-t-elle, à mon entrée dans le palais de justice, il y avait en bas un nouveau gardien en service qui ne me connaissait pas. Je lui ai dit que j'étais là pour un rendez-vous à dîner, et il m'a répondu qu'il serait libre dans quarante-cinq minutes, si cela ne me faisait rien d'attendre.»

Je frappai sur mon bureau à l'apparence ridiculement judiciaire comme si j'avais mon maillet en main et m'exclamai en feignant la colère: «Je vais lui chiper son emploi à cet homme!»

En éclatant d'un rire bruyant, Marie déclara: «Votre Honneur, je ne crois pas que vous feriez un bon gardien, et je ne crois pas que qui que ce soit vous confierait une arme chargée. Je vous conseillerais de garder ce travail de juge que vous avez ici.»

Marie s'informa du genre de journée que j'avais passée en cour, alors je lui racontai tout au sujet de l'affaire Stevens et du don de la famille.

Marie me demanda: «Alors, quelle sera la prochaine étape dans cette affaire?»

Je lui expliquai que, le lendemain matin, nous examinerions le don du rire que Red Stevens avait décrit à l'intention de Jason dans son testament.

Curieuse d'en savoir plus, Marie me demanda comment je pouvais savoir exactement ce que Red Stevens voulait obtenir de son petit-fils. Je lui parlai des vidéocassettes que Red avait enregistrées pour transmettre ses différents dons à Jason après sa mort.

Marie me demanda: «Comment est-ce que ça fonctionne au juste?»

Après un instant de réflexion, je saisis le DVD intitulé *Le don du rire*, et je répondis à Marie : « Eh bien, je vais te montrer. Ou mieux encore, Red Stevens va te le montrer. »

Je glissai le disque dans le lecteur de DVD, et Red Stevens apparut à l'écran. J'appuyai sur *pause*, afin de pouvoir aller m'asseoir dans mon fauteuil et de permettre à Marie de prendre place dans un des fauteuils réservés à mes invités.

Elle fixa Red Stevens du regard et me demanda : « Combien de temps avant sa mort a-t-il enregistré cette vidéocassette ? »

« Si je comprends bien, il a terminé l'ensemble quelques semaines à peine avant de partir », lui répondis-je.

Marie réfléchit à haute voix : « C'est vraiment triste que quelqu'un doive parler à une caméra vidéo plutôt que directement à son petit-fils alors qu'il est si près de la fin de sa vie. »

Je considérai sa perspective, puis lui dis : « C'est triste, mais je crois que Red savait que c'était son seul moyen d'arriver à atteindre Jason. »

Tandis que le silence tombait sur mon cabinet, je finis par appuyer sur *lecture*, et Red fit part à Jason de ses pensées et de ses sentiments.

« Ce mois-ci, tu vas découvrir le don du rire. Ce don, que je veux te faire connaître, n'a rien à voir avec les humoristes et les comédies cinématographiques. C'est plutôt la capacité de se regarder soi-même, ses problèmes, et la vie en général, et d'en rire tout simplement. Beaucoup de gens sont malheureux parce qu'ils prennent les choses trop à cœur. J'espère qu'au cours des six derniers mois, tu t'es rendu compte qu'il y a des choses dans la vie qui méritent qu'on les prenne au sérieux et qu'il faut chérir, mais qu'une vie sans rire ne vaut pas la peine d'être vécue.

«Ce mois-ci, je veux que tu trouves une personne qui, bien qu'elle soit confrontée à des difficultés ou des défis de taille dans la vie, demeure capable de rire. Celui ou celle qui peut rire au nez de l'adversité connaîtra le bonheur toute sa vie.»

—⁓—

Marie et moi sortîmes du palais de justice bras dessus bras dessous, traversâmes le parc urbain et marchâmes jusqu'à notre restaurant grec préféré. Nous nous remémorâmes des choses passées, tant bonnes que mauvaises, et rîmes de toutes. Certains des pires moments que nous avions vécus sur le plan financier et les épreuves que nous avions connues ne nous semblaient plus très graves et nous les trouvions maintenant plutôt comiques. Nous savourâmes un merveilleux dîner et écoutâmes la musique grecque revigorante que nous offrait un violoniste.

Vers la fin de la soirée, je m'excusai et me rendis aux toilettes. Je revins rapidement m'asseoir à la table. Je ne saurai jamais comment elle s'y est prise, mais lorsque je levai les yeux vers Marie, elle baissa son menu pour offrir à ma vue une belle épouse portant un énorme nez de caoutchouc, une fausse moustache marrante et d'énormes lunettes ridicules.

Avec toute la dignité et la solennité du monde, elle me dit : « Votre Honneur, plaise à la Cour, voici votre don du rire. »

—◊—

J'entendis Paul faire l'annonce si connue : « La Cour ! »

Je gravis les trois marches, comme je l'avais fait des milliers de fois déjà. Je m'étais souvent dit que j'arriverais à le faire en dormant si nécessaire. Je m'assis et fis claquer mon maillet, rappelant l'auditoire à l'ordre. Je réalisais qu'un certain apparat devait entourer mes devoirs de juge, mais j'avais encore présent à l'esprit le don du rire de Marie qui m'empêchait de me prendre trop au sérieux.

Je saluai Mᵉ Hamilton et lui demandai d'ouvrir les débats. Il guida Jason tout au long de son témoignage portant sur la manière dont Red Stevens lui avait demandé d'aller trouver quelqu'un qui faisait face à des épreuves ou à des difficultés dans sa vie, mais qui les affrontait au moyen du rire. Jason expliqua comment il avait fait la connaissance de son ami David Reese, un jeune aveugle, qui surmontait sa cécité et tout le reste dans la vie grâce à l'humour.

Mᵉ Hamilton signifia à Jason qu'il pouvait retourner à sa place. Celui-ci quitta la barre des témoins. Puis, l'avocat appela David Reese à la barre.

Un beau jeune homme portant des lunettes fumées et muni d'une canne blanche s'avança avec assurance et promptement vers la barre des témoins. Il vérifia de sa canne l'unique marche, qu'il gravit à l'aveuglette. Il se glissa sur la chaise derrière la barre, et mon greffier, Jim, lui demanda de placer sa main sur la Bible. David Reese le fit et prêta serment de dire la vérité, toute la vérité et rien que la vérité. Puis, Theodore J. Hamilton s'approcha et lui dit: «Bonjour, M. Reese. Merci d'être là aujourd'hui.»

David Reese sourit et lui répondit: «C'est bon de vous voir de nouveau, Me Hamilton. En fait, comme je le dis toujours, c'est bon de voir n'importe qui.»

Quelques rires timides provenant de la salle d'audience parvinrent jusqu'à mes oreilles.

David poursuivit: «J'ignore qui a conçu cette marche qui mène à la barre des témoins, mais je parierais que ce n'était pas un aveugle.»

David fit face directement à Hamilton et lui dit: «Une autre superbe cravate, Me Hamilton. Combien en avez-vous comme celle-là?»

Les rires se mirent à prendre de l'ampleur et à monter agréablement dans ma salle d'audience jusqu'à ce que Dudly crie: «Votre Honneur, nous nous objectons le plus vigoureusement à cette routine de comédie burlesque que l'avocat de la partie adverse a manifestement orchestrée.»

«J'ignorais qu'on avait un orchestre», riposta David du tac au tac. Puis il demanda: «Et qui est ce gars-là? Est-il avec les instruments à cordes?»

Dudly s'indigna et déclara: «Jeune homme, je suis L. Myron Dudly de Dudly, Cheetham et Leech.»

David éclata de rire et lui lança sur le ton de la raillerie: «Ça alors, les gens comme vous sont durs avec un pauvre aveugle comme moi, qui s'efforce de répandre un peu de joie autour de lui. Je dois travailler à amener les gens à rire de moi, mais vous, ça vous vient tout naturellement.»

Les rires fusèrent tout autour de nous, et David Reese demanda : «Est-ce votre vrai nom, ou avez-vous retenu les services d'auteurs de comédies?»

Je ris moi-même, mais je finis par devoir faire claquer mon maillet et rappeler l'auditoire à l'ordre.

Je m'adressai à David Reese : «M. Reese, bien que votre humour soit un souffle d'air frais ici dans ma salle d'audience, et que nous soyons en train d'explorer le don du rire, je vais devoir vous demander de vous contenter de répondre aux questions qui vous seront posées par les avocats.»

David Reese sourit innocemment, haussa les épaules et fit un signe de tête, puis il dit : «Ça me va. Allons-y donc.»

Hamilton reprit son interrogatoire : «M. Reese, est-il vrai que Jason Stevens vous a rencontré à bord d'un métro au cours des recherches que son grand-père lui avait demandé de faire au sujet du don du rire?»

«Oui, monsieur, c'est exactement ça.»

Comme Dudly commençait à se lever, je lui lançai un regard furieux et lui fis signe de rester assis.

Hamilton poursuivit : «Depuis ce jour-là, Jason Stevens et vous êtes-vous devenus amis?»

David le lui confirma d'un signe de tête et lui répondit : «Absolument.»

«Quelle est la nature de votre relation?» lui demanda Hamilton.

«Eh bien, nous sommes amis. Nous nous retrouvons de temps à autre, et nous parlons beaucoup au téléphone. Tout récemment, Jason est venu nous voir à l'école pour aveugles, moi et quelques-uns de mes élèves. Nous connaissons des gens différents et évoluons dans des cercles différents, alors nous nous échangeons en quelque sorte nos blagues. Quand je vois quelque chose de drôle – sans faire de jeu de mots –, ou que Jason trouve quelque chose de drôle, nous nous en faisons part.»

«Et pourquoi l'humour occupe-t-il une place importante dans votre vie?» lui demanda Hamilton.

David Reese lâcha un profond soupir et se montra sérieux pour la première fois de la journée. Il affirma : «Parfois, le rire et l'humour sont tout ce que j'ai. Il arrive que la cécité soit déprimante et rende les choses incroyablement difficiles. Les gens ne savent pas comment se comporter avec vous, et ils craignent de dire ou de faire quelque chose de mal, alors ils vous évitent tout simplement. Pourtant, le rire est un langage universel. C'est comme ici, aujourd'hui, devant le tribunal. Je suis certain que beaucoup de gens se sont sentis nerveux et n'ont pas su quoi penser en me voyant m'avancer à la barre avec mes lunettes fumées et ma canne blanche. Mais quelques blagues plus tard, nous nous sentons tous à l'aise et, du coup, nous sommes tous devenus des amis.»

Me Hamilton remercia David d'être venu témoigner et déclara : «Votre Honneur, je n'ai pas d'autres questions à poser à ce témoin.»

Mᵉ Dudly se leva et prit la parole: «M. Reese, avez-vous suivi une formation en psychologie?»

En riant, David lui répondit: «Non, mais j'ai consulté un psychologue; cependant, j'étais plutôt la thérapie que le thérapeute.»

Quelques rires se firent entendre dans la galerie, mais Dudly n'en fit aucun cas et poursuivit: «Diriez-vous que Jason Stevens vous a aidé à mieux comprendre votre situation au moyen du rire ou à mieux composer avec elle?»

À cela, David répondit: «Jason est mon ami, et nous rions ensemble. Nous composons tous avec notre propre situation, mais il est parfois agréable d'avoir quelqu'un qui se soucie assez de nous pour nous faire rire un bon coup.»

Après avoir marqué une pause, David demanda: «Vous arrive-t-il de vous faire appeler Dud?»

Je me joignis aux éclats de rire qui remplirent la salle d'audience. Mᵉ Dudly s'empourpra violemment. Fulminant, il se mit à bégayer et me pointa du doigt, puis Mᵉ Hamilton et ensuite David Reese, avant d'aller tout simplement s'asseoir. Lorsque l'ordre fut revenu, je demandai à Mᵉ Dudly s'il avait d'autres questions. Dégoûté, il fit un non énergique de la tête et se plongea dans la paperasse qu'il avait sous les yeux.

Je m'adressai à mon sténographe, Scott, en lui disant: «Veuillez inscrire que la Cour déclare que Jason Stevens a démontré qu'il comprenait le don du rire tel que Howard "Red" Stevens l'a décrit dans son testament. Dans trente jours, nous statuerons sur la capacité qu'a Jason

Stevens de transmettre son don du rire à d'autres personnes. L'audience est suspendue. »

—ɯ—

Au cours du mois suivant, il me sembla voir beaucoup plus de choses humoristiques que la normale dans ma vie, ou était-ce d'avoir exploré le don du rire par l'intermédiaire de Red Stevens et de Jason qui m'avait sensibilisé davantage à toutes les occasions que nous avons de jouir du rire.

« Que l'on inscrive au registre qu'aujourd'hui la Cour statuera sur la question relative à la disposition du testament de Red Stevens ayant trait à la capacité qu'a Jason Stevens de transmettre le don du rire. »

Je fis un signe de la main à Theodore J. Hamilton en lui demandant : « M\ Hamilton, vous voulez bien ouvrir le bal ce matin ? »

« J'en serais heureux, Votre Honneur. »

Hamilton fit signe à Jason de s'avancer à la barre des témoins. Jason s'y installa, et Hamilton lui demanda : « Jason, au cours du dernier mois, avez-vous eu l'occasion de transmettre le don du rire que votre grand-père vous a légué ? »

En faisant un grand signe de tête, Jason commença : « Oui. J'ai beaucoup réfléchi au don du rire et à qui pourrait en avoir le plus besoin. En me rendant au centre pour personnes âgées afin de voir comment les appels périodiques se déroulaient entre les élèves de l'école pour aveugles et les résidants du centre, j'ai eu ma réponse.

« Les personnes âgées en résidence souffrent souvent de douleurs physiques chroniques, et beaucoup d'entre elles ont perdu un époux ou une épouse, ainsi qu'un grand nombre de leurs amis de toute une vie. Elles ne voient pas leurs enfants et leurs petits-enfants aussi souvent qu'elles le voudraient, ce qui fait que je me suis dit qu'elles avaient besoin du don du rire. »

Hamilton l'incita à continuer en lui demandant : « Alors, comment avez-vous réussi à concrétiser la chose ? »

Jason poursuivit : « Eh bien, chaque jour, après avoir pris le petit déjeuner à la résidence, beaucoup de personnes âgées se réunissent en groupes devant la télé ou dans la véranda, ou encore dans l'entrée près de la chambre de l'une ou de l'autre. J'ai rencontré chacun de ces groupes pour lui faire savoir que nous avions une nouvelle activité portant le nom de « Cercle du rire du lundi matin ».

Après avoir marqué une pause, Jason s'expliqua : « Ces personnes âgées avaient pris l'habitude de se réunir chaque matin pour se plaindre, communiquer aux autres leurs craintes ou tout simplement leurs souffrances ; mais je leur ai dit qu'à l'avenir, les lundis seraient consacrés au Cercle du rire.

« Tous les groupes informels allaient permettre à chaque personne âgée, à tour de rôle, de raconter quelque chose de drôle qui lui était arrivé récemment ou un souvenir drôle tiré de son passé. Rien d'autre que l'humour ne serait permis les lundis. »

Avec un signe de la tête, Hamilton lui demanda : « Alors, quels résultats ce Cercle du rire a-t-il donnés ? »

«Des résultats vraiment étonnants, expliqua Jason en tirant une enveloppe de son veston. Voici une lettre provenant de l'administratrice de la résidence pour personnes âgées. Elle explique qu'ils sont en train de compiler des données provenant des médecins et des infirmières, mais que les résultats préliminaires ont démontré que les résidants se reposent mieux, ont moins besoin de médicaments et disent se sentir mieux en général les lundis que les autres jours de la semaine. Un des médecins a même l'intention de rédiger un article destiné au journal de gériatrie dans lequel il décrira la réussite du Cercle du rire.»

Hamilton remercia Jason et s'adressa à Me Dudly: «Le témoin est à vous.»

Dudly lui fit un signe de tête pour la forme, puis commença: «M. Stevens, avez-vous réellement enseigné à ces personnes âgées quoi que ce soit au sujet de l'humour ou du rire?»

Secouant la tête, Jason dut admettre: «Non, pas vraiment.»

«Avez-vous animé ou dirigé les discussions au sein de ces groupes?» lui demanda Dudly.

«Non, pas vraiment», énonça Jason.

Dudly se mit à arpenter la pièce en secouant la tête comme s'il était déçu de la réponse de Jason, puis lui demanda: «Alors, à part le fait que vous ayez suggéré que ces gens se réunissent et discutent du rire, qu'avez-vous réellement accompli?»

«Rien, lui répondit Jason. Mon grand-père m'a enseigné – et je le réalise – que l'humour existe en chacun de nous. Tous les jours, nous en sommes entourés. La possibilité de rire se trouve partout. Il suffit de découvrir les occasions de rire qui s'offrent à nous et de les partager. Mais comme mon grand-père me l'a enseigné par le don du rire, à moins que nous recherchions et que nous nous attendions à trouver toutes les bonnes choses et tous les dons que nous réserve la vie, nous passerons à côté. J'ai simplement aidé des gens à se concentrer sur le rire plutôt que sur la douleur, la souffrance et la solitude. »

Mᵉ Dudly fit un signe de main à Jason et marmonna : « C'est tout. »

En portant son attention sur moi, Dudly affirma : « Votre Honneur, il est clair que Jason Stevens n'a pas réussi à transmettre ou à apporter le don du rire à qui que ce soit. Les gens de la résidence le possédaient depuis toujours. Je demande à la Cour de rendre une décision en faveur de mes clients, les héritiers légitimes de la fortune de Red Stevens. »

Je lui fis signe de la tête tandis que Dudly retournait à sa place, et je déclarai assez fort pour que toutes les personnes présentes l'entendent : « Mᵉ Dudly, je suis d'accord avec vous… »

Des murmures enthousiastes me parvinrent depuis les rangées que la famille Stevens occupait.

Je frappai du maillet et repris la parole : « Je suis d'accord avec vous pour dire que Jason n'a pas apporté à ces personnes âgées quoi que ce soit qu'elles n'avaient pas déjà, mais comme j'en suis venu à comprendre les intentions de Red Stevens par rapport au don du rire, il se peut fort bien que le fait que Jason leur ait permis de comprendre et d'exprimer le rire qu'elles avaient en elles soit le plus grand don de tous.»

Je fis claquer mon maillet de nouveau et déclarai : «La Cour statue en faveur de Jason Stevens. Nous reprendrons l'audience demain afin de considérer le don des rêves.»

*Les rêves sont l'essence de tout
ce que l'on peut devenir.*

Dix

LA VIE DES RÊVES

⁓

L e lendemain matin, une tasse de café à la main et confortablement calé dans mon fauteuil de cuir, je tournai le regard vers l'Est à temps pour voir le lever du soleil. Bien que je me sois trouvé à mon endroit habituel, le soleil ne fut pas du rendez-vous. Du moins, je n'aurais pu l'affirmer sous serment devant un tribunal. Il y avait au-dessus de la ville un épais plafond de nuages et de brouillard. Ce matin-là, en les contemplant par la fenêtre de mon cabinet, les structures les plus solides et les plus permanentes me semblèrent provisoires. »

La réalité n'est pas toujours facile à définir, et tout n'est pas selon les apparences. Dans l'intérêt de sa vie privée et professionnelle, le juge qui préside a avantage à se rappeler certaines bonnes choses.

Tenant en main le DVD intitulé *Le don des rêves*, je réfléchis sur les ironies de la vie et sur ce que Red Stevens nous révélerait peut-être au sujet des rêves. Le visage maintenant bien connu de Howard "Red" Stevens se matérialisa à l'écran.

« Jason, ce mois-ci, tu vas découvrir un don qui appartient à tout grand homme et à toute grande femme : le don des rêves. Les rêves sont l'essence même de la vie – non telle qu'elle est, mais telle qu'elle pourrait être. Les rêves naissent dans le cœur et l'esprit de toute personne spéciale, mais le fruit de ces rêves, une fois réalisés, profite au monde entier.

« Tu ne le sais peut-être pas, mais Theodore Hamilton a la réputation d'être de loin le meilleur avocat de tout le pays. Je sais qu'il rêvait de pratiquer le droit à cet échelon quand on s'est rencontrés. Or, ce rêve, qu'il vit maintenant depuis plus de cinquante ans, est né dans son cœur et son esprit, avant de se concrétiser.

« Je me rappelle m'être demandé, dans les marais de la Louisiane, comment j'allais pouvoir devenir le plus grand des grands de l'industrie pétrolière et bovine du Texas. Ce rêve faisait tellement partie de moi que, quand j'ai atteint mes objectifs, c'était comme si j'arrivais chez moi dans un endroit où je n'étais jamais allé auparavant.

« Je me suis demandé, en élaborant ce don ultime pour toi, lequel des dons est le plus grand. Si je devais en choisir un, je crois que je choisirais le don des rêves, parce que les rêves nous permettent de voir la vie telle qu'elle peut être, et non telle qu'elle est. En ce sens, le don des rêves permet d'aller se procurer n'importe quel autre don qu'on veut obtenir de la vie.

« Un des premiers vrais grands rêveurs qu'il m'a été donné de rencontrer se passionnait pour la création d'endroits et de choses qui allaient toucher l'imaginaire des gens. Cette passion l'a suivi tous les jours de sa vie. Il a eu sa part de revers, d'échecs et de critiques. Pourtant, je ne l'ai jamais vu ne pas avoir envie de me communiquer son tout dernier projet. Il avait l'habitude d'accrocher au mur d'énormes tableaux représentant ses rêves et le plan d'action qui lui permettrait de concrétiser chacun d'eux.

« Je me rappelle que, lorsqu'il était sur son lit de mort, il avait fait fixer au plafond de sa chambre d'hôpital le plan d'action de son tout dernier projet. Comme ça, il pouvait continuer de contempler son rêve tout en le bâtissant dans son esprit.

« Tandis qu'il était hospitalisé, un journaliste est venu lui rendre visite. Comme mon ami était si faible qu'il avait du mal à s'exprimer, il s'est poussé un peu et a demandé au journaliste de s'allonger à côté de lui sur le lit, pour qu'ils puissent regarder ensemble son plan au plafond pendant que mon ami lui communiquerait son rêve.

« Le journaliste était si ému de voir quelqu'un, cloué à son lit d'hôpital par une grave maladie, être animé malgré tout d'une telle passion. Au terme de l'entrevue, le journaliste a fait ses au revoir à mon ami, et a quitté l'hôpital.

« Et mon ami est mort le jour même.

« Comprends bien une chose. Celui qui peut vivre toute sa vie avec un rêve qui le passionne au point qu'il le communique sur son lit de mort est privilégié. Mon ami avait un rêve comme celui-là, qui l'a accompagné tous les jours de sa vie, et qui n'a fait que grandir et fleurir. Chaque fois qu'il atteignait un des objectifs de son rêve, un autre plus grandiose encore lui venait à l'esprit.

« De manière bien concrète, mon ami a enseigné à beaucoup de gens à rêver et à imaginer un monde meilleur. Et cet ami, c'était Walt Disney.

« Mais laisse-moi te dire que les rêves de ta vie doivent être les tiens, et ceux de personne d'autre, si tu veux qu'ils grandissent et fleurissent.

« J'avais aussi un autre ami, dont le nom ne te dirait rien. Il m'a dit qu'il rêvait de travailler dur et de prendre sa retraite à cinquante ans. Et c'est exactement ce qu'il a fait. Au terme d'une carrière plutôt réussie, il a pris sa retraite, comme il en avait rêvé, pour se retrouver ensuite sans aucune passion dans la vie.

« Le jour de ses cinquante ans, quelques-uns d'entre nous nous sommes réunis pour souligner et son anniversaire et sa retraite. Or, cet événement aurait dû marquer le jour le plus heureux de sa vie, si son rêve avait été bien géré. Le malheur, c'est qu'il avait consacré toute sa vie d'adulte à sa profession, d'où lui venait en grande partie sa fierté et son estime de soi. Se retrouvant donc, relativement jeune, sans sa profession pour le guider, il s'est vu confronté à l'incertitude de la retraite. C'était quelque chose qu'il croyait avoir toujours souhaité, mais il s'est vite rendu compte que la retraite ne lui procurerait aucune passion nécessaire à la vie.

« Un mois plus tard, cet ami-là s'est enlevé la vie.

« La différence entre un rêveur que sa passion de toute une vie anime encore sur son lit de mort et cet autre rêveur qui poursuit un objectif qui convient si mal à sa personnalité que cela le pousse au suicide devrait te sauter aux yeux.

«Jason, il est important que ton rêve t'appartienne en propre. Les rêves doivent être taillés sur mesure. Le tien doit refléter ta personnalité, et grandir et s'épanouir en même temps que toi. La seule personne qui doive se passionner pour ton rêve, c'est toi.»

Je réfléchis à la relation entre les rêves et la réalité dans ma propre vie. Tandis que je contemplais les rêves que je caressais moi-même depuis longtemps – dont certains s'étaient réalisés et d'autres pas encore –, le soleil perça les nuages. Ce qui était plongé auparavant dans l'obscurité la plus totale se révélait maintenant être le lever de soleil le plus glorieux que j'aie vu depuis plusieurs mois. Il avait été là pendant tout ce temps.

———

Dans ma salle d'audience, la tension était forte ce jour-là, lorsque Theodore Hamilton dirigea Jason Stevens pour lui faire surmonter chacun des obstacles barrant son chemin. Les enjeux semblaient s'être accrus encore davantage dans cette course au terme de laquelle tout irait au vainqueur.

Je rappelai à tous que, dans l'affaire en litige, Jason Stevens témoignait encore sous serment.

Mᵉ Hamilton commença son interrogatoire : «Jason, lorsque votre grand-père vous a transmis le don des rêves, quelle tâche vous a-t-il confiée par rapport à ce don?»

Après avoir rassemblé ses idées, Jason commença ainsi : «Mon grand-père m'a demandé de réfléchir à ma vie, à mes objectifs et à mes rêves afin de déterminer ce que je souhaitais faire de ma vie.»

Jason remua un instant sur sa chaise, se prit le front pour mieux se concentrer, puis regarda au-dessus de la galerie. Il sembla se consacrer tout entier à cet instant et à ce lieu du passé.

«J'ai pensé à des milliers de choses que je pourrais faire de ma vie, mais pour en venir à l'essentiel, elles semblaient toutes pointer dans la même direction.»

D'un signe de tête, Hamilton signifia à Jason qu'il le comprenait et l'encouragea à poursuivre en l'incitant comme ceci : «Veuillez, ce matin, nous faire part de cette direction.»

«Eh bien, c'est assez simple dans un sens, lui répondit Jason. J'aimerais venir en aide aux jeunes démunis. Je n'entends pas simplement par là les jeunes qui sont désargentés ou qui sont issus de milieux difficiles, mais j'aimerais aider ceux qui ne comprennent pas tout ce qu'ils ont dans la vie. Je dirais, en termes plus simples, que j'aimerais passer ma vie à transmettre le don ultime à autant de gens que possible.»

En souriant, Hamilton lui dit : «Merci de nous en avoir fait part, Jason. C'est également ce que votre grand-père souhaitait pour vous.»

«Objection! tonna Dudly. Il appartient à la Cour de décider des intentions de Red Stevens, et non à Me Hamilton.»

Hamilton se moqua de Dudly en lui faisant brièvement la courbette et en lui lançant de manière formelle : «Très bien, maître, je vous laisse le témoin, et nous laisserons à la Cour le soin de décider.»

Dudly s'approcha de la barre des témoins et alla même jusqu'à se pencher au-dessus de la barre vers Jason.

«M. Stevens, ne vous semble-t-il pas un peu trop commode que le rêve de votre vie soit de venir en aide à des gens au moyen du don ultime? Votre rêve ne pourrait-il pas être d'obtenir le contrôle de plusieurs milliards de dollars?»

Avec le sourire, Jason déclara: «Je transmets déjà le don ultime à autant de gens que possible depuis que mon grand-père me l'a légué. Je continuerai de le faire jusqu'à la fin de mes jours, peu importe ce qui pourra arriver d'autre.»

«Je vois, lui dit Dudly avec beaucoup de scepticisme. Avez-vous déjà fait l'expérience d'une vie de pauvreté?»

En secouant la tête et en riant, Jason lui répondit: «Non, c'était tout le contraire, en fait.»

Dudly poursuivit son interrogatoire: «Avez-vous déjà fait l'expérience au cours de votre vie d'un handicap ou d'une infirmité quelconque?»

Jason secoua la tête de nouveau et répondit: «Non, j'ai eu la chance d'être en bonne santé toute ma vie.»

«Alors, comment pouvez-vous raisonnablement vous attendre à ce que quelqu'un puisse vous considérer comme la personne qui convient pour en aider d'autres à réaliser leurs rêves? Vous n'arrivez pas même à réaliser vos propres rêves sans l'argent de votre grand-père, qui devrait selon la loi et la morale revenir à mes clients.»

«Objection! clama Hamilton. Votre Honneur, il semblerait que Me Dudly souhaite être non seulement l'avocat et le témoin, mais également le juge, le jury et le bourreau dans cette affaire. »

Je fis claquer mon maillet et déclarai : « Objection admise. »

« Je n'ai plus de questions à poser à ce témoin », fit remarquer Dudly avec désinvolture en retournant avec assurance à la table des avocats, où il sourit à ses clients réunis dans les trois premières rangées, se retourna et s'assit à sa place.

« Le rêve diffère considérablement de la réalité, commençai-je. Il n'est nul besoin de produire des preuves à l'appui d'un rêve pour en prouver la validité. En fait, ce qui rend les rêves si remarquables, c'est qu'ils sont rarement, si même jamais, réalistes. À la lumière des souhaits et des dernières volontés que son grand-père a exprimés à ce sujet dans son testament, je déclare que le rêve de Jason Stevens est à la fois raisonnable et admirable. »

On put entendre et ressentir un grognement collectif provenant de la galerie derrière Dudly, qui se tint là bouche bée d'avoir cru que, cette fois-ci, la partie avait été assurément remportée.

Je poursuivis : « On accordera à Jason Stevens une période de trente jours pour démontrer qu'il est apte à transmettre le don des rêves à d'autres personnes. L'audience est suspendue. »

—ᴍ—

168

Lorsqu'il prit place à la barre des témoins, Jason Stevens tenait dans ses mains une boîte assez grande, qu'il déposa à ses pieds. Hamilton lui demanda de nous faire part de ses activités relatives au don des rêves auxquelles il s'était consacré au cours du moins précédent, et Jason prit la parole.

« J'ai commencé le mois en pensant aux jeunes qui ont le plus besoin du don des rêves. Par la suite, j'ai réalisé que j'avais déjà accès auprès d'un groupe de jeunes issus d'un milieu dysfonctionnel et défavorisé. »

Jason s'interrompit, regarda la boîte à ses pieds, puis continua : « Je suis allé à l'École du samedi dans le parc, et j'ai parlé à tous les jeunes du don des rêves. Nous avons formé plusieurs groupes de discussion et nous avons fait plusieurs exercices. Finalement, j'ai demandé à chacun d'eux de mettre par écrit ce qu'il ou elle rêvait de faire dans la vie. »

Avec un large sourire, Hamilton lui dit : « Très bien. Pourriez-vous nous communiquer certains de ces rêves ici même aujourd'hui ? »

Jason acquiesça avec assurance et plongea la main dans la boîte. Il en ressortit une pile de papiers et commença : « Taylor a huit ans. Il aimerait devenir receveur pour les Yankees de New York. Nicole a neuf ans, et elle souhaite devenir astronaute. Marcus a neuf ans lui aussi et il aimerait être acteur. David a onze ans, et son rêve, c'est de devenir un homme d'affaires prospère pour pouvoir acheter une maison et une voiture à sa mère. Laurie a sept ans, et elle veut devenir présidente des États-Unis. »

Hamilton l'interrompit, puis déclara de manière à ce que tous l'entendent: «Merci, Jason, je crois que cela suffit amplement à illustrer votre point de vue à ce sujet. Je n'ai plus de questions.»

«M. Stevens, commença Dudly, à votre avis, quelles sont les chances pour qu'un enfant devienne plus tard le receveur des Yankees de New York, un astronaute, ou – encore moins – qu'il se fasse élire président des États-Unis?»

«Je l'ignore», lui répondit Jason en haussant les épaules.

Dudly le bombarda de nouveau: «Eh bien, ne diriez-vous pas que la chose est très improbable?»

Après en avoir considéré la possibilité, Jason dit: «Oui, peut-être.»

Dudly lui sauta, au figuré, à la gorge en lui ordonnant: «Alors, veuillez dire à la Cour à quoi aura bien pu servir cet exercice.»

Jason replaça respectueusement les papiers dans sa boîte, s'adossa de nouveau et reprit la parole: «La question n'est pas de savoir à quoi rêvent ces jeunes. C'est de savoir qu'en dépit du milieu sans espoir dont ils sont issus, ils caressent ne serait-ce qu'un rêve. Mon grand-père m'a enseigné que les rêves peuvent grandir et changer. Ce qui compte, ce n'est pas tant le rêve qu'on caresse comme le fait d'avoir un rêve à caresser.»

Dudly termina son plaidoyer, et je statuai avec assurance: «Jason Stevens a prouvé, à la satisfaction de la Cour,

qu'il avait la capacité et le désir de transmettre le don des
rêves. Lundi, nous nous intéresserons au don du don. »

Ici-bas, on perd souvent tout ce
qu'on essaie de garder,
et l'on en vient à garder
tout ce qu'on essaie de donner.

Onze

LA VIE DU DON

❧

Les vautours du monde médiatique s'abattirent sur l'École du samedi le matin suivant. Les jeunes des quartiers défavorisés devinrent instantanément des célébrités dans tout le pays et le monde entier.

Je regardai, en entrevue approfondie, le jeune Marcus de neuf ans qui rêvait de devenir acteur. Les journalistes lui posaient des questions à tour de rôle, les appareils photos tout autour de lui le bombardaient de flashs et il avait une multitude de microphones sous le nez. Marcus était calme, cool et maître de lui. Il répondit à chaque question comme si on lui en avait fourni les réponses à l'avance, sans que sa voix ne lui fasse défaut et sans sourciller une seule fois.

Au terme de ses quelques minutes de gloire, Marcus, j'en étais sûr, viendrait en tête du générique si je devais un jour produire un grand film.

Ensuite, Laurie apparut devant les caméras. Elle était fragile et semblait un peu déroutée. Le texte au bas de mon écran de télé me rappela que Laurie n'avait que sept ans, mais lorsqu'elle dut répondre à la première question dont on la bombarda, Laurie se montra plus qu'à la hauteur.

Un journaliste lui posa comme première question : «Laurie, qu'est-ce qui te pousse à vouloir devenir présidente ? »

Laurie le lui expliqua ainsi : « Les lampadaires des rues sont éteints, l'école a besoin d'être repeinte, il y a des gens qui font peur dans ma rue et tout le monde se bagarre tout le temps. »

Le journaliste la relança en lui demandant : « Alors, Laurie, qu'as-tu l'intention de faire à ce sujet ? »

« Je vais changer les choses », lui annonça Laurie d'une manière qui me convainquit de voter pour elle. Je ne serais d'ailleurs pas surpris d'avoir l'occasion de voter pour Laurie un jour.

—⁂—

Le week-end m'offrit un repos bien mérité, mais le lundi arriva beaucoup trop vite à mon goût, et tout le monde se retrouva de nouveau à sa place habituelle dans ma salle d'audience.

Je rappelai l'auditoire à l'ordre et j'annonçai : « Aujourd'hui, nous allons passer en revue le don du don tel que le grand-père de Jason Stevens le lui a présenté. La Cour entendra la preuve qui déterminera si Jason Stevens comprend ou non et possède ou non une connaissance pratique des dernières volontés de son grand-père en ce qui concerne le don du don. Comme d'habitude, nous entendrons d'abord Me Hamilton, qui représente Jason Stevens.»

Jason prit place à la barre des témoins et, comme Me Hamilton le lui avait demandé, se mit à expliquer que Red Stevens l'avait mis au défi de trouver chaque jour du mois des gens à qui faire des cadeaux venant de lui-même. Il devait s'agir de cadeaux n'ayant pas été achetés avec l'argent que Jason avait reçu de son grand-père, mais qui venaient de Jason seul.

Hamilton lui demanda : «Alors, qu'avez-vous fait?»

Jason lui répondit : «Eh bien, j'ai trouvé des choses que je pouvais me procurer par moi-même ou que j'avais déjà et que je pouvais donner.»

Hamilton lui fit un signe de tête et lui demanda : «Pouvez-vous nous dire quels ont été ces cadeaux?»

Jason sortit alors une feuille de sa poche. Après l'avoir dépliée, il en lut le contenu :

«Le premier jour, j'ai trouvé un espace de stationnement juste à l'entrée du centre commercial. Comme je descendais de voiture, j'ai remarqué un couple de gens âgés qui cherchait où se garer. Du coup, je suis sorti de mon espace pour le leur céder, et je suis allé me garer au fond du parking.

«Le deuxième jour, j'étais au centre-ville quand un orage a éclaté. J'ai alors partagé mon parapluie avec une jeune femme qui n'en avait pas. Le troisième jour, je suis allé à l'hôpital pour donner un demi-litre de sang. Le quatrième jour, j'ai téléphoné à un homme de mon quartier, qui m'avait dit qu'il devait se procurer des pneus neufs, pour l'informer qu'il y avait un grand solde de pneus à l'autre bout de la ville. Le cinquième jour, j'ai aidé une femme âgée à porter des sacs jusqu'à sa voiture. Le sixième jour, j'ai accepté de veiller sur les enfants de la voisine pour qu'elle puisse sortir avec des copines. Le septième jour, je me suis rendu au foyer pour personnes aveugles, où j'ai fait la lecture à des étudiants ayant une déficience visuelle. Le huitième jour, j'ai servi des repas à la soupe populaire, et le neuvième jour, j'ai envoyé un petit mot et un poème à un ami.

«Le dixième jour, j'ai accepté de conduire les enfants de ma voisine à l'école. Le onzième jour, j'ai aidé à faire et à déplacer des cartons d'articles donnés à l'Armée du Salut. Les douzième et treizième jours, j'ai hébergé quelques étudiants participant à un programme d'échanges. Le quatorzième jour, j'ai donné un coup de main à une troupe d'éclaireurs lors de leur rencontre hebdomadaire. Le quinzième jour, je suis tombé sur un homme dont la batterie de sa voiture était à plat et je lui ai fait profiter de mes câbles d'appoint. Le seizième jour, j'ai envoyé des lettres d'encouragement à plusieurs personnes hospitalisées. Le dix-septième jour, je suis allé au chenil du coin pour emmener plusieurs chiens promener dans le parc. Le dix-huitième jour, j'ai donné les points de grand voyageur que j'avais accumulés auprès d'une certaine compagnie aérienne à la fanfare d'une école secondaire qui prévoyait de se rendre en Californie pour une parade. Le dix-neuvième jour, j'ai aidé un organisme d'aide local à livrer des repas à des personnes handicapées et âgées.

« Les vingtième, vingt-et-unième, vingt-deuxième et vingt-troisième jours, j'ai emmené en voyage avec une troupe d'éclaireurs un groupe d'enfants issus de quartiers défavorisés qui n'avaient jamais campé et pêché. Je n'étais moi-même jamais allé en camping ni à la pêche. Le vingt-quatrième jour, j'ai aidé une Église locale dans le cadre de sa vente de charité. Les vingt-cinquième et vingt-sixième jours, j'ai donné un coup de main à une équipe d'ouvriers de Habitat pour l'humanité qui était en train de bâtir une maison. Le vingt-septième jour, j'ai prêté ma maison à un organisme de bienfaisance de mon quartier pour qu'il y tienne une réception. Le vingt-huitième jour, j'ai aidé un de mes voisins à ratisser les feuilles sur sa pelouse. Le vingt-neuvième jour, croyez-le ou non, j'ai participé à la fabrication de biscuits destinés à la vente de pâtisseries d'une école primaire locale. »

Se tenant devant la barre des témoins, Theodore J. Hamilton se mit à applaudir et déclara : « Très impression-nant, mon garçon, mais, dites-moi, qu'avez-vous fait le trentième jour ? »

Jason lui répondit en riant : « Eh bien, Me Hamilton, si vous vous rappelez, je vous ai donné, à vous et à Mlle Hastings, quelques-uns des biscuits qui restaient de la vente de biscuits. »

« Oui, c'est ce que vous avez fait, fit remarquer Hamilton. Et je peux dire qu'ils étaient vraiment bons. Je n'ai plus de questions. »

Hamilton regagna son siège, tandis que Dudly se pré-parait à passer à l'attaque.

«M. Stevens, selon vous, quelle est la valeur moné-taire combinée de tous les cadeaux qui apparaissent sur votre petite liste?» demanda Dudly à Jason en pointant du doigt le bout de papier que Jason tenait en main comme s'il avait été sale.

Quelque peu déconcerté, Jason haussa les épaules et répondit: «Eh bien, monsieur, je n'en ai pas la moindre idée.»

Dudly insista: «N'êtes-vous pas d'avis que la plupart de ces choses avaient peu de valeur relative, sinon aucune, dans le vrai monde?»

«Probablement», admit Jason.

«Alors, comment pouvez-vous espérer gérer plusieurs milliards de dollars en vous basant sur ça?» lui demanda Dudly en pointant violemment du doigt la page que Jason tenait dans sa main.

Après y avoir réfléchi quelques instants, Jason répon-dit: «Mon grand-père m'a dit de donner des choses que je m'étais procurées par moi-même. Je n'avais d'autre choix que de donner une partie de moi-même.» Jason marqua une pause, prit son rythme et poursuivit: «Mais je crois qu'il est beaucoup plus facile de gérer de l'argent que de se gérer soi-même.»

Regardant Jason d'un air ahuri, Dudly lui dit: «Vous voulez rire!» L'avocat leva les yeux et les mains au ciel, paumes vers le haut, comme s'il implorait le ciel de le déli-vrer de cette absurdité.

Je finis par devoir mettre un terme à ce cinéma en demandant: «Me Dudly, avez-vous d'autres questions à poser au témoin?»

D'un ton de voix dramatique, Dudly entonna : « Non, Votre Honneur. Cette affaire semble on ne peut plus claire. »

Dudly alla se rasseoir.

Je fis un signe de tête à Jason, le remerciai de son témoignage et lui indiquai qu'il pouvait se retirer. Après avoir ordonné mes pensées, je statuai : « Dans son testament, Howard "Red" Stevens demandait à son petit-fils de donner quelque chose qui lui appartenait en propre chaque jour pendant un mois. La Cour déclare que M. Jason Stevens s'est dûment acquitté de cette tâche.

« Au cours des trente prochains jours, on lui donnera l'occasion de démontrer sa capacité de transmettre à d'autres le don du don. »

Mon maillet claqua avec finalité, puis je franchis le pas de la porte d'acajou pour pénétrer dans le monde privé de mon cabinet. Je m'appuyai contre mon bureau monstrueux en me demandant si j'arriverais à trouver quelque chose m'appartenant en propre à donner chaque jour pendant un mois.

—ɷ—

Je regardai Red Stevens apparaître à l'écran sous mes yeux et l'écoutai aborder le don du don.

« Ce mois-ci, je veux que tu découvres le don du don. Il s'agit d'un autre de ces principes paradoxaux dont on a parlé il y a plusieurs mois. La sagesse conventionnelle pousse à croire que, moins on donne, plus on a. Mais, en réalité, c'est tout le contraire. Plus on donne, plus on a.

L'abondance engendre la capacité de donner, et le don engendre l'abondance. Je ne parle d'ailleurs pas là simplement en termes financiers. Ce principe vaut pour tous les domaines de la vie.

« Il importe de donner et de recevoir. Financièrement, Jason, je t'ai donné tout ce que tu possèdes ici-bas. Ce faisant, j'ai enfreint le principe du don du don. C'est par sens du devoir que je t'ai procuré de l'argent et des biens, et non véritablement par esprit du don. Or, tu as reçu tout ça en croyant y avoir droit, que ce privilège t'était dû, plutôt qu'avec gratitude. Par conséquent, nos attitudes respectives nous ont privés de la joie que procure le don du don.

« Quand tu donnes quelque chose à quelqu'un, il importe que tu le fasses en ayant de bons motifs, et non par obligation. Toute ma vie, j'ai appris à donner aux autres, si bien que je ne pourrais m'imaginer perdre le privilège de donner des choses et une partie de moi-même à d'autres.

« Toutefois, tu dois savoir qu'un des principes clés du don, c'est que tu ne peux donner que ce qui t'appartient – quelque chose que tu as gagné ou créé, ou encore, peut-être bien, une partie de toi-même. »

—⁓—

Durant tout le mois qui suivit, je cherchai à donner et à recevoir d'une toute nouvelle manière.

Même si je l'avais vue une fois auparavant, la scène m'étonna encore. Je pris place dans la salle d'audience, je fis claquer mon maillet et j'appelai l'auditoire à l'ordre. Je souris à toutes les personnes présentes et leur dis: «Je tiens à vous souhaiter à tous la bienvenue à cette action en justice. La loi est une partie sacrée de notre vie et de notre culture. Je suis toujours heureux de voir des gens prendre part au processus.»

Les mères monoparentales qui s'étaient présentées un jour au tribunal pour assister à l'audience consacrée au don de l'argent se trouvaient de nouveau alignées le long des murs latéraux et contre le mur du fond de ma salle d'audience.

À la suite du signe de la main que je leur fis, Me Hamilton et Jason Stevens prirent place et ouvrirent l'audience.

Hamilton demanda: «Jason, au cours du dernier mois, avez-vous eu l'occasion de transmettre à d'autres le don du don tel que votre grand-père, Howard "Red" Stevens, l'a décrit dans son testament?»

Jason le confirma d'un signe de tête et d'un «oui».

«Veuillez nous faire part de vos progrès», l'incita Hamilton.

Jason posa le regard sur la longue file de mères mono-parentales qui constituait un énoncé silencieux étonnant de par leur simple présence, puis il commença à répondre: «Je me suis efforcé de réfléchir au don du don, et j'en suis venu à trouver que le don devrait être créatif et automatique. Ce doit être quelque chose auquel on pense continuellement de nouvelles manières, mais il importe malgré tout de développer l'habitude de donner régulière-ment. »

Levant les regards vers moi, Jason me dit : « Comme vous le savez, quand on a parlé du don de l'argent, j'ai organisé une espèce de cours de finance à l'intention de toutes les mères monoparentales qui participent à la coopé-rative de garde et au groupe de soutien. Ces cours se poursuivent, et on y a appris qu'on devrait toujours faire trois choses avec chaque dollar qu'on reçoit.

« Premièrement, on devrait en épargner une partie, de manière à toujours avoir de l'argent en prévision des temps difficiles ou d'occasions spéciales. Deuxièmement, on devrait en dépenser une partie pour combler avec sagesse et prudence ses besoins immédiats et à venir. Finalement, on devrait donner de manière régulière et cohérente une partie de chaque dollar.

« Quand on a abordé avec les mères la nécessité de donner, cela a suscité beaucoup de frustrations, parce qu'elles avaient des budgets tellement serrés qu'elles ne voyaient pas comment elles arriveraient à accomplir quoi que ce soit de valable avec leurs dons individuels. »

Jason sourit alors et promena un regard plein d'expec-tative tout autour de la salle d'audience.

Hamilton, qui souriait également, lui demanda : « Alors, qu'avez-vous fait, Jason ? »

Jason annonça : « Toutes les mères monoparentales du groupe se sont réunies et ont mis leur argent ensemble.

Collectivement, elles se sont engagées à faire un don mensuel contribuant à la construction d'un centre communautaire avec service de garde dans le parc urbain Howard "Red" Stevens. »

Jason retira alors une enveloppe de la poche intérieure de son veston, et ajouta : « Voici leur premier chèque, tiré du Fonds de bénévolat des mères monoparentales et émis à l'ordre du Centre communautaire du Parc urbain Howard "Red" Stevens. »

Les mères monoparentales qui tapissaient les murs de la salle d'audience firent entendre des acclamations, des applaudissements et des hourras.

Le vieux juge Eldridge avait toujours insisté auprès de moi sur l'importance de la responsabilité de faire régner l'ordre dans un tribunal. Dans un sens, je savais toutefois qu'il nous observait et qu'il approuverait que je laisse ces manifestations suivre leur cours jusqu'à la fin.

Hamilton salua de la main les mères monoparentales, remercia Jason et confia le témoin à Mᵉ Dudly.

Dudly demanda : « M. Stevens, avez-vous une idée de ce que coûtera la construction de ce centre communautaire avec service de garde dans ce soi-disant parc ? »

Arborant un large sourire malicieux, Jason apporta une clarification : « Mᵉ Dudly, voulez-vous dire le Parc urbain Howard "Red" Stevens où nous allons construire le centre communautaire avec service de garde ? »

« Oui, si vous le dites », lui répondit Dudly avec impatience.

Jason poursuivit: «Oui, j'ai une assez bonne idée, et il coûtera plusieurs centaines de milliers de dollars. On est en train de prendre en compte certaines variables et certains détails afin d'en venir à un chiffre final.»

«Alors, combien de temps faudra-t-il pour...», Dudly désigna de la main les dames qui se tenaient tout autour de la salle et continua: «... arriver à payer un tel centre avec ces chèques mensuels?»

«Moins de temps qu'il n'en faudrait sans eux», déclara Jason.

Cela déclencha une autre vague d'applaudissements chez les mères monoparentales. Je frappai du maillet sans conviction, car j'avais moi-même envie d'applaudir.

Dudly, qui tenta de faire fi de cette manifestation d'enthousiasme, affirma: «Je n'ai pas d'autre question.»

J'essayai de regarder chacune des mères dans les yeux en promenant lentement le regard autour de la salle.

Je m'adressai directement à elles: «Je suis souvent appelé dans cette salle d'audience à rendre une décision parce que c'est mon devoir sous la foi du serment et mon obligation juridique. Bien que la décision que je suis sur le point de rendre relève de mon devoir et de mon obligation, il me fait également grand plaisir de reconnaître la contribution de chacune de vous...» Je posai le regard sur les mères monoparentales, je leur souris et je continuai: «... dans cette affaire et de statuer en faveur de Jason Stevens pour ce qui est de cette partie du procès, qui a trait au don du don.»

Lorsque je suspendis l'audience, une troisième vague d'acclamations, plus forte encore, submergea la salle.

La journée avait été bonne.

*La gratitude procure un équilibre
entre les choses que l'on a et celles
que l'on veut avoir.*

Douze

LA VIE DE LA GRATITUDE

⤝⤞

Une des chaînes de télédistribution consacrée aux actualités diffusait en direct une émission en extérieur sur les cérémonies d'inauguration des travaux du centre communautaire avec service de garde ayant cours dans le Parc urbain Howard "Red" Stevens. Jason s'exprima brièvement, mais permit aux projecteurs de briller sur le groupe des mères monoparentales qui s'étaient engagées financièrement dans le projet et les résidants de la communauté qui avaient construit le parc.

Je n'oublierai jamais ce qu'une des mères monoparentales déclara ce jour-là. Après s'être timidement avancée au lutrin et avoir fixé le regard sur les projecteurs aveuglants de la télé, elle dit: «De bien des façons, la vie n'a pas été bonne envers moi. J'ai trois enfants, âgés de deux, cinq et sept ans, et j'occupe deux emplois pour joindre les deux bouts. Ce parc est devenu un refuge sûr où mes enfants et moi pouvons venir jouer et simplement passer du temps ensemble. Le centre communautaire avec service de garde voudra dire pour ma famille – et d'autres à venir – qu'elle aura des occasions qu'on n'a tout simplement pas eues, nous.

«Mais plus important encore que le changement survenu dans le quartier, il y a le changement qui s'est produit en moi. J'ai attendu plusieurs années avec amertume que quelqu'un fasse quelque chose pour moi. Maintenant, je me lève chaque jour en pensant à ce que je peux faire pour moi-même et à ce que je peux faire pour ceux qui m'entourent.»

Depuis la fenêtre de mon cabinet, je pouvais voir le parc à distance avec la foule entourant la plate-forme temporaire et un certain nombre de fourgonnettes de télévision par satellite déployées autour du périmètre. Cela me fit songer aux possibilités que ma propre vie m'offre. Ce serait difficile de calculer la différence que l'on pourrait faire dans le monde si l'on se fixait simplement un objectif, on se lançait à sa poursuite et on continuait d'avancer.

Pour me préparer à ma journée en cour, je pris le DVD intitulé *Le don de la gratitude*. Je le glissai dans le lecteur de DVD, en sachant que j'allais entendre le message que Red Stevens y avait enregistré à l'intention de son petit-fils.

«Quand tu fais ton testament et une cassette comme celle-ci, tu es forcé de repasser en mémoire ta vie entière. Je suis allé dans tellement d'endroits et j'ai vécu tant de choses que j'ai peine à me rappeler n'avoir vécu qu'une seule vie.

«Je me rappelle, quand j'étais jeune, avoir été si pauvre que je devais travailler comme journalier pour gagner ma croûte et dormir le long de la route. Je me rappelle aussi avoir côtoyé des rois et des présidents, et avoir connu toutes les richesses que la vie ici-bas peut offrir. C'est avec gratitude que j'y repense aujourd'hui.

«Ce sont des situations que je considérais alors comme les pires de ma vie que sont nés mes souvenirs les plus chers.

«J'ai toujours trouvé ironique que les gens qui ont le plus de raisons d'être reconnaissants sont souvent ceux qui le sont le moins, alors que ceux qui n'ont virtuellement rien débordent souvent de gratitude.

«Encore très jeune, peu après être parti seul à la conquête du monde, j'ai rencontré un homme âgé qu'on qualifierait aujourd'hui de sans-abri. À l'époque, beaucoup de gens sillonnaient le pays, en quête de petits travaux leur permettant de gagner leur maigre subsistance. C'était durant la Crise, et certains de ces soi-disant vagabonds ou clochards étaient très instruits et avaient un vécu riche.

«Josh et moi avons voyagé ensemble pendant près d'un an. Il semblait très âgé en ce temps-là, mais comme j'étais moi-même encore adolescent, il se peut que j'aie mal jugé de la chose. C'était une des rares personnes que j'ai rencontrées de qui je puisse dire, franchement, qu'il n'avait jamais de mauvaises journées. Ou, si cela lui arrivait, rien chez lui ne l'indiquait. Bien que, dans nos pérégrinations, on se soit souvent retrouvés tout mouillés, transis et affamés, Josh n'avait jamais que des paroles affables pour ceux qu'il rencontrait.

«Finalement, quand j'ai décidé de m'établir au Texas pour chercher à y faire fortune, nos chemins se sont séparés. Josh n'aspirait aucunement à s'installer nulle part. Lorsque nous nous sommes quittés, je lui ai demandé ce qui le mettait toujours de bonne humeur comme ça. Il m'a répondu qu'une des grandes leçons que sa mère lui avait léguées, c'était la Liste d'or.

«Il m'a expliqué que tous les matins, avant de se lever, il restait étendu sur son lit – ou bien là où il avait passé la nuit – pour visualiser une table d'or sur laquelle étaient inscrites dix choses dans sa vie pour lesquelles il était particulièrement reconnaissant. Il m'a dit que sa mère avait fait ça toute sa vie, et qu'il n'avait jamais lui-même sauté une seule journée depuis qu'elle lui avait fait part de la fameuse Liste d'or.

«Eh bien, aussi vrai que je me trouve ici aujourd'hui, je suis fier de t'annoncer que je n'ai moi-même jamais manqué de le faire une seule journée depuis que Josh m'en a fait part, il y a plus de soixante ans. Certains jours, je suis reconnaissant pour les choses les plus petites de la vie, alors que d'autres fois je me sens reconnaissant pour ma vie et tout ce qui m'entoure.

«Jason, aujourd'hui, je te transmets l'héritage de la Liste d'or. Je sais qu'elle a bien survécu pendant plus d'un siècle, simplement grâce à la mère de Josh, qui l'a transmise à son fils, qui me l'a transmise à son tour, et que je te transmets maintenant. Je ne sais trop comment la mère de Josh l'a découverte, ce qui fait que ses origines remontent peut-être à bien plus loin que je ne saurais le dire.

«Quoi qu'il en soit, elle t'est désormais transmise à l'instant même. Et si tu dois faire preuve d'une certaine discipline au début, sous peu l'exercice deviendra pour toi comme une seconde nature, comme la respiration.»

―〰―

Une fois de plus, j'appelai la Cour à l'ordre en annonçant que l'audience porterait sur le testament de Howard "Red" Stevens. Après que les formalités furent réglées et que Jason Stevens eut pris place à la barre des témoins, le légendaire Théodore J. Hamilton se mit au travail.

«Jason, n'est-il pas vrai que – dans le cadre du don ultime que votre grand-père vous a légué – il vous a enseigné ce qu'était le don de la gratitude?»

Jason le lui confirma d'un signe de tête et d'un «oui, monsieur».

Hamilton poursuivit: «N'est-il pas vrai également que Red Stevens vous a parlé d'une certaine Liste d'or?»

Une fois de plus, Jason le lui confirma d'un signe de tête et d'un «Oui, monsieur».

Avec un sourire entendu, Hamilton lui demanda: «Vous voulez bien faire savoir à la Cour ce qu'est la Liste d'or?»

Jason acquiesça en hochant la tête, s'éclaircit la gorge et commença: «Mon grand-père m'a parlé d'un processus qu'on lui avait fait connaître il y a très longtemps qui avait amélioré sa qualité de vie. Il s'agissait, chaque jour, de simplement réfléchir à dix choses pour lesquelles on est reconnaissant.»

Hamilton lui demanda : « Avez-vous accompli cet exercice au cours des trente jours qui vous avaient été alloués pour le don de la gratitude ? »

« Oui, monsieur », confirma Jason.

Hamilton prit une feuille sur sa table et retourna auprès de Jason, qu'il questionna ainsi : « J'ai ici une copie de la liste des choses que vous avez énumérées pour lesquelles vous étiez reconnaissant au cours du mois consacré au don de la gratitude. »

Tenant la liste devant Jason, Hamilton demanda au témoin : « Vous voulez bien confirmer à l'intention de la Cour qu'il s'agit d'une copie de la liste que vous avez dressée de votre propre main ? »

Jason examina minutieusement la liste, leva les yeux vers moi, puis déclara : « C'est bien ma liste. »

Dudly interrompit en affirmant : « Je vais y jeter un coup d'œil, si vous n'y voyez aucun inconvénient. »

« Je vous en prie », lui dit Hamilton avec une cordialité empreinte de moquerie.

L. Myron Dudly jeta un regard furieux et méprisant à la feuille, puis rétorqua : « Ouais, c'est ça », avant de retourner d'un pas lourd à sa chaise.

Hamilton fit glisser ses lunettes de lecture démodées sur son nez et tint la page à bout de bras : « Je vois ici que ce jour-là vous étiez reconnaissant pour vos amis, votre famille et le don ultime, entre autres choses. »

Hamilton regarda Jason par-dessus ses lunettes et lui demanda : « Cela vous semble-t-il correct ? »

« Oui, monsieur », lui confirma Jason.

Hamilton replia les branches de ses lunettes et remit celles-ci dans leur étui. Il leva le regard vers moi, et me dit : « Ce sera tout, Votre Honneur. »

Je fis un signe de la main à Dudly.

L. Myron Dudly s'approcha de la barre des témoins comme l'aurait fait un frappeur de circuits devant frapper plusieurs circuits dans les dernières manches.

« M. Stevens, serait-il juste de dire qu'au cours de la majeure partie de votre vie vous avez tenu entièrement pour acquis la fortune, la position, le prestige et les opportunités auxquels votre grand-père vous a fait accéder ? »

« C'est juste », admit Jason.

« De plus, insista Dudly, n'est-il pas vrai qu'au cours de votre vie vous n'avez jamais, pas même une seule fois, remercié votre grand-père et que vous aviez même honte de lui à tel point que vous ne le reconnaissiez pas comme votre grand-père, mais disiez de lui qu'il n'était qu'un grand-oncle éloigné ou quelque chose comme ça ? »

Jason soupira, secoua lentement la tête et déclara : « Oui, c'est vrai. »

Dudly hocha la tête comme s'il était déçu d'un enfant indiscipliné et s'enquit : « Alors, comment pouvez-vous vous attendre à ce que la Cour croie que vous compreniez la gratitude parce que vous avez dressé une petite liste de choses pour lesquelles tout le monde devrait être reconnaissant un jour en particulier ? »

« Il ne s'agissait pas d'un seul jour, lui lança Jason sur le ton du défi. J'ai une Liste d'or pour chaque jour. »

Dudly feignit l'étonnement, en disant d'une voix de fausset ridicule : « Oh, excusez-moi. J'imagine que vous vous sentez apte à gérer plusieurs milliards de dollars parce que vous avez fait une liste chaque jour de ce mois-ci. »

En secouant la tête, Jason l'informa ainsi : « Non, je me fais une Liste d'or chaque jour depuis que mon grand-père m'en a donné l'idée. »

Dudly éclata d'un rire moqueur et lui demanda d'un ton incrédule : « Vous voulez rester là à nous faire croire que chaque jour depuis la mort de votre grand-père, qui s'est produite il y a plus d'un an, vous avez pris le temps d'établir en pensée une liste de dix choses pour lesquelles vous êtes reconnaissant ? »

En plongeant la main dans son veston, Jason répondit : « Non seulement j'ai pensé à ce pour quoi j'étais reconnaissant, mais encore je l'ai mis par écrit. »

Entre les mains de Jason apparut un journal à reliure de cuir usée, qu'il tenait amoureusement.

Dudly s'empressa de masquer sa grande surprise et déclara : « Laissez-moi voir ce livre. »

Jason le lui tendit. Dudly en consulta quelques pages et lâcha un soupir comme s'il ressentait beaucoup d'impatience et de frustration.

« M. Stevens, vous êtes en train de dire à la Cour, sous serment et sous peine de parjure, que, chaque jour depuis celui où votre grand-père vous a soumis l'idée du don de la gratitude, vous avez écrit dans ce livre dix choses pour lesquelles vous êtes reconnaissant ? »

En secouant la tête, Jason lui dit: «Non, monsieur.»

Avec un claquement de mains, Dudly s'exclama: «Ah, c'est bien ce que je croyais!»

Toutefois, avant que Dudly puisse continuer, Jason lui dit: «Il s'agit ici, en fait, de mon troisième livre. Les deux premiers sont remplis.»

Dudly secoua la tête dans un geste d'incrédulité. Avec morgue, il demanda à Jason: «Eh bien, pourquoi ne nous liriez-vous pas ce que vous prétendez y avoir inscrit pour aujourd'hui?»

Après avoir tourné respectueusement quelques pages, Jason se mit à lire: «Aujourd'hui, je suis reconnaissant pour la cérémonie d'inauguration des travaux de construction du centre communautaire dans le parc. Je suis reconnaissant pour les mères monoparentales qui ont rendu ce projet possible. Je suis reconnaissant pour les gens de la communauté qui ont bâti le parc. Je suis reconnaissant pour Jeffrey Watkins, qui a accepté de se charger de mon cas quand personne d'autre n'en voulait. Je suis reconnaissant pour mon ami David Reese, qui m'aide à continuer de rire au cours de ce pénible procès.

«Je suis reconnaissant à Mlle Hastings d'être toujours là pour moi. Je suis reconnaissant pour la classe à l'école pour aveugles et les gens de la résidence pour personnes âgées, qui m'enseignent beaucoup de choses. Je suis reconnaissant à M. Hamilton d'être mon avocat et mon ami. Je suis reconnaissant à Alexia de m'aimer même si je n'en suis pas toujours digne.» Jason referma le livre, le remit dans sa poche, et termina en disant : « Et je suis reconnaissant à Emily de m'avoir enseigné, par sa mort, comment je devrais vivre ma vie. »

Du coup, Dudly retourna à sa chaise d'un pas traînant et en marmonnant : « Ce sera tout. »

Le silence envahit la salle d'audience. Je finis par le rompre en statuant ainsi : « La Cour déclare que Jason Stevens a fait correctement la démonstration dans sa vie du don de la gratitude tel que Red Stevens l'a défini. L'audience reprendra dans un mois, lorsque nous jugerons de sa capacité de transmettre le don de la gratitude. »

—⁓—

Avant de faire quoi que ce soit d'autre ce jour-là, je m'assis au mastodonte ridicule qui me tenait lieu de bureau dans mon cabinet et j'écrivis ma propre Liste d'or. Je téléphonai à Marie pour lui dire que je l'aimais et lui faire savoir qu'elle figurait au tout premier rang de ma liste. Je sus alors que cette nouvelle habitude me resterait jusqu'à la fin de mes jours.

—⁓—

Un mois de plus avait passé à la vitesse de l'éclair. De retour devant mon tribunal, Jason se tenait à la barre en train de répondre à l'interrogatoire de Mᵉ Hamilton.

« Jason, comment avez-vous transmis le don de la gratitude ce mois-ci ? »

Jason le lui raconta : « Ce mois-ci, c'étaient les retrouvailles de mon université de l'Ivy League. Comme je n'ai jamais fait partie d'une promotion proprement dite, il m'arrive de temps à autre de simplement me présenter à des retrouvailles d'anciens étudiants pour y revoir quelques personnes avec qui je me suis lié d'amitié à l'époque où je la fréquentais.

« Ils donnent un banquet chaque année après le match de football en l'honneur des anciens étudiants qui sont de retour sur le campus. Étant donné que ce procès est si médiatisé, le doyen de l'université m'a demandé si j'aimerais prononcer quelques paroles de bienvenue après le repas. Je suis donc monté sur l'estrade et j'ai parlé à l'auditoire du don de la gratitude et de la Liste d'or.

« Beaucoup de ces gens sont comme je l'étais. Ils ont reçu une grande partie de ce qu'ils ont toujours désiré avoir, ce qui fait qu'ils n'ont pas obtenu grand-chose dont ils avaient réellement besoin. Je leur ai dit que le pas suivant à faire pour aller vers leur avenir et obtenir ce à quoi ils aspirent consiste à se remémorer le passé et à exprimer leur gratitude pour ce qu'ils ont.

« Je leur ai montré mon journal. » Jason tapota la poche dans laquelle il gardait son journal et poursuivit : « Plusieurs d'entre eux se sont mis tout de suite à écrire leur liste sur une serviette ou au dos de leur programme. Le don de la gratitude que je leur ai présenté m'a valu une ovation. »

Après lui avoir souri et lui avoir signifié son acquiescement d'un signe de tête empreint d'assurance, Hamilton lui demanda : « Et que s'est-il passé ensuite, Jason ? »

«Eh bien, quelques jours plus tard, j'ai reçu l'appel du président de l'association des anciens étudiants. Chaque année, ils prélèvent des fonds destinés à l'octroi de bourses d'études. Cette année, ils ont fondé la Bourse en mémoire de Red Stevens, qui sera décernée chaque année à un étudiant issu de l'École du samedi du parc urbain qui l'aura méritée.»

«Merci pour tout, Jason», lui dit chaleureusement Hamilton.

Je levai les yeux vers L. Myron Dudly et l'équipe juridique de Dudly, Cheetham et Leech. Assemblés derrière l'équipe se trouvaient divers membres assortis du clan Stevens. Il semblait émaner une grande anxiété de tout le groupe. C'était comme s'ils réalisaient que l'heure H à l'horloge de leur procès, qui représentait des milliards de dollars, approchait à grands pas.

Dans un geste peu assuré, Dudly se leva et affirma d'une voix rauque : «Je n'ai pas d'autres questions.»

Je déclarai pour le rapport officiel : «Comme il n'y a aucune opposition, la Cour accepte la présentation que Jason Stevens nous a faite du don de la gratitude. L'audience est suspendue jusqu'à 10 heures demain matin.»

*La vie ultime n'est rien de plus
qu'une série de jours ultimes.
Aujourd'hui, c'est le jour J !*

Treize

LA VIE D'UN JOUR

*e sentais le marathon que représentait Le Procès du Testament de Red Stevens approcher de la ligne d'arrivée, mais comme tout grand marathonien vous le dira, juste avant la phase finale du supplice de 40 kilomètres, on se heurte à un obstacle invisible mais bien réel que l'on appelle *le mur*. *Le mur* a dérobé les espoirs et les rêves de beaucoup de compétiteurs.

Rex, le superchien, et moi faisions une promenade d'un pas vigoureux autour du Parc urbain Howard "Red" Stevens. Tel un vrai pro, Rex me dirigeait par sa laisse. Comme il pouvait sentir que j'essayais de le restreindre au moyen de la laisse, il avait suffisamment d'assurance pour explorer dans toutes les directions ou changer de direction à tout moment.

Dans la vie, et très certainement quand je sors Rex, le superchien, le contrôle n'est qu'illusion. Rex et moi avons passé de nombreuses heures à marcher ainsi ensemble, lui me dirigeant et moi heureux de le suivre. Il n'était plus aussi jeune et aussi rapide qu'il l'avait été auparavant, mais moi non plus. Nous étions véritablement bien assortis en tant qu'animal domestique et maître. Rex et moi ne sommes toutefois pas certains du rôle qu'assume chacun dans cette relation.

Les saisons de ma vie ont été ponctuées tout d'abord par la possession et ensuite par l'amour croissant d'une suite de chiens fidèles. Je tiens une liste des choses que je ferais différemment, du moins ai-je le ridicule de le croire, si j'étais le Roi du monde. Je réalise que les chances pour que cela se produise sont minimes.

Parmi les nombreux éléments de ma liste se trouvent ceux-ci : Si j'étais roi, nous jouirions encore de l'énergie de la jeunesse lorsque nous aurions acquis la sagesse de l'âge pour la tempérer. Si j'étais roi, l'hiver serait tout juste assez long pour nous faire pleinement apprécier le printemps, l'été et l'automne. Et non le moindre, si j'étais roi, le chien que nous aimons vivrait assez vieux pour nous accompagner jusqu'à la fin de nos jours.

Je fis part à Rex de mes préoccupations et de mon sentiment de ne pas être à la hauteur par rapport à l'affaire Red Stevens. Rex m'écouta attentivement, comme il le fait toujours, et me regarda de ses grands yeux noisette qui me disaient : « Il se peut que je ne comprenne pas ce que tu me racontes, mais je sais que tu es plus que capable de faire tout le nécessaire. »

C'est merveilleux d'avoir quelqu'un qui croit toujours en nous. Avec Marie et Rex, le superchien, je me sens doublement béni.

L'heure vint finalement pour moi de retourner au palais de justice et pour Rex de rentrer à la maison pour y vaquer à ses tâches journalières inconnues, mais sans aucun doute vitales.

—◊—

J'avais cru la salle d'audience pleine à craquer au cours des dix premiers mois de l'affaire Red Stevens, mais en y pénétrant le onzième et avant-dernier mois, je constatai que Jim et Paul avaient dû installer des chaises pliantes supplémentaires qui occupaient maintenant chaque centimètre carré de l'espace disponible.

«Bonjour, tout le monde! lançai-je à l'auditoire. Aujourd'hui, nous sommes là pour considérer le don d'un jour, tel que Red Stevens l'a décrit dans le legs du don ultime qu'il a fait à son petit-fils Jason. La parole est à vous, Mᵉ Hamilton.»

Theodore J. Hamilton appela Jason Stevens à la barre, et je rappelai à Jason et à tout le monde que son témoignage était encore sous serment.

Hamilton commença ainsi: «M. Stevens, votre grand-père vous a-t-il donné une leçon à apprendre et une occasion à saisir par rapport au don d'un jour?»

Jason le lui confirma d'un signe de tête et d'un: «Oui, c'est le cas.»

«Faites-nous part de cette expérience», lui demanda Hamilton.

«Mon grand-père m'a demandé de réfléchir à la manière dont je passerais le dernier jour de ma vie.»

Hamilton lui sourit pour l'encourager à continuer, et Jason s'exécuta : « Eh bien, j'ai décidé que je voudrais me lever tôt ce dernier matin et repasser en mémoire ma Liste d'or des choses pour lesquelles je serais reconnaissant, mais le dernier jour de ma vie, il y aurait beaucoup plus que dix choses sur ma liste. J'aimerais pouvoir savourer un petit déjeuner vraiment succulent dans un jardin en compagnie de quelques amis. J'espère que nous discuterions du moyen pour nous tous de vivre au maximum chacune des journées de notre vie. Après, j'aimerais téléphoner à plusieurs personnes qui m'ont touché d'une manière particulière. Des gens comme Gus Caldwell, ceux de la Bibliothèque en Amérique latine et les jeunes de la Résidence pour garçons Red Stevens. »

Jason marqua une pause, inspira profondément et poussa un gros soupir. Puis, en posant le regard sur les nombreux membres de sa famille assis de l'autre côté de la salle d'audience, il déclara : « J'ai décidé que j'aimerais téléphoner à tous mes proches afin de les remercier pour les bons moments qu'ils m'ont permis de vivre et leur présenter mes excuses pour les mauvais moments que je leur ai occasionnés. Ensuite, j'ai décidé que j'emmènerais un ami déjeuner au restaurant pour parler des rêves qu'il souhaite réaliser dans la vie.

« En soirée, je me suis dit qu'il serait bon que je donne un banquet spécial en l'honneur de tous mes amis. Je leur dirais combien ils comptent pour moi et leur ferais part de tous les dons composant la vie ultime. J'aimerais enregistrer le banquet sur DVD, afin de pouvoir partager ces instants et ce message avec d'autres personnes tandis qu'elles réfléchiraient à leur vie.»

Hamilton marqua une pause, puis il dit: «Jason, je tiens à vous remercier de nous avoir fait part de cela.»

Une fois que Hamilton fut retourné à sa place, j'offris à Me Dudly la possibilité de questionner Jason.

«Alors, M. Stevens, voyons voir si je saisis bien les choses. Pour prouver que vous avez compris le don d'un jour, vous avez imaginé une suite d'activités que vous avez jugées importantes à faire le dernier jour de votre vie.»

Jason le lui confirma d'un signe de tête et d'un «oui, monsieur».

Dudly poursuivit: «Si ces éléments sont importants à tel point que vous souhaiteriez qu'ils se concrétisent le dernier jour de votre vie, combien d'entre eux avez-vous concrétisés jusqu'ici?»

Jason s'agita sur son siège quelques instants, s'éclaircit la gorge nerveusement, puis répondit: «Eh bien, je ne les ai pas encore tous accomplis. Ce n'est pas facile d'acquérir la maîtrise du don d'un jour, mais j'en ai concrétisé plusieurs. J'ai téléphoné et j'ai écrit à des amis que je n'aurais pas contactés si je n'avais pas découvert le don d'un jour. Je suis plus conscient de la nécessité de remercier tout le monde de ce qu'ils ont fait pour moi au cours de ma vie, et je me consacre à transmettre à d'autres le don ultime de mon grand-père.»

Sentant sa proie faiblir, Dudly l'encercla afin de lui porter le coup fatal: «Alors, M. Stevens, s'il est tellement important de remplir au maximum chaque jour de sa vie, et certainement le dernier jour de sa vie, pouvez-vous nous dire pourquoi, après avoir reçu de votre grand-père une leçon pareille et après avoir eu tout un mois pour y réfléchir, vous n'avez rien prévu au programme pour l'après-midi du mystérieux dernier jour de votre vie ?»

Dudly arborait un air triomphant, et Jason fixa le bout de ses chaussures en marmonnant: «J'avais des projets pour l'après-midi.»

«Oh vraiment!» s'exclama Dudly d'une voix invitant à la confrontation. «Eh bien, si c'est si important, pourquoi ne nous dites-vous pas maintenant quels étaient ces projets et pourquoi vous les avez tus en témoignant sous serment?»

Jason glissa un regard chargé de malaise vers la table des avocats, soupira longuement, puis affirma: «Il y a plus d'un an, lorsque sur une vidéocassette mon grand-père m'a enseigné le don d'un jour, j'ai mis en ordre de priorité tout ce que j'aurais alors prévu faire le dernier jour de ma vie. J'avais l'intention de passer l'après-midi dans le parc, dans un musée et à bord d'un voilier ancré dans la marina.»

Se frottant les mains de jubilation, Dudly lui demanda: «Eh bien, M. Stevens, si tout cela est si important, pourquoi ne l'avez-vous pas même mentionné dans la déclaration que vous avez faite plus tôt sous serment?»

«J'avais prévu de faire toutes ces choses avec Emily», déclara Jason tandis qu'une larme lui roulait sur la joue.

Lorsque Jason reprit la parole, on put entendre plusieurs personnes sangloter doucement. «Mais j'imagine que ce que j'ai réellement appris en planifiant le dernier jour de ma vie, c'est le fait que tout a son importance parce que pour certains d'entre nous, comme Emily, c'est réellement leur dernier jour.»

Dudly ressembla à une énorme baudruche qui venait de se dégonfler. Il secoua la tête et se laissa choir sur sa chaise.

Je fis claquer mon maillet et déclarai: «La Cour statue en faveur de Jason Stevens. L'audience reprendra dans trente jours afin de conclure la question du don d'un jour.»

—〰—

À l'écran, je pouvais voir Red Stevens enseigner à son petit-fils.

«Jason, je tiens à ce que tu saches qu'en envisageant de te faire le don ultime que j'ai voulu te léguer par testament, j'ai passé beaucoup de temps à penser à toi. Je crois bien que tu as obtenu une place permanente dans ma Liste d'or quotidienne. Je suis heureux que toi et moi, on partage un héritage familial, et je sens qu'il y a en toi une étincelle que j'ai toujours sentie en moi-même. On est désormais des âmes sœurs, qui transcendent leurs liens familiaux.

«Tout en élaborant mon testament, et en pensant à ma vie et à la mort, j'ai examiné tous les éléments de ma vie qui l'ont rendue spéciale. Je me suis remémoré bien des souvenirs, que je chéris jour après jour.

«Confronté à ta propre mortalité, tu compares le bout de vie que tu as vécu avec celui qu'il te reste à vivre. C'est comme regarder le sable s'écouler dans un sablier. Je sais bien que, tôt ou tard, arrivera le dernier jour de ma vie. J'ai réfléchi à la manière dont j'aimerais passer cette journée ou à ce que je ferais s'il ne me restait qu'un seul jour à vivre. J'en suis venu à comprendre que, si j'arrive à fixer en mémoire l'image d'une journée vécue au maximum, je comprendrai l'essence de la vie, qui n'est rien de plus qu'une série de jours. Ainsi, en apprenant à vivre au maximum un seul jour à la fois, ma vie sera riche et significative.»

Je réfléchis au don d'un jour et à ce que je ferais de mon dernier jour ici-bas. Je demandai au greffier de reporter au jour suivant toute audience que j'avais de prévue, puis j'appelai Marie pour lui annoncer que la journée du lendemain serait réservée au don d'un jour.

—⚏—

Au cours du repas ce soir-là, nous parlâmes de toutes les choses spéciales que nous souhaitions faire le lendemain.

Nous nous levâmes tôt le lendemain matin. Nous prîmes un petit déjeuner spécial, puis nous allâmes marcher, parler et assister à un spectacle en compagnie de quelques amis intimes. Ce soir-là, nous regardâmes le soleil se coucher ensemble, car c'est le moment que Marie préfère de toute la journée.

Tandis que le jour spécial tirait à sa fin, nous fûmes tous les deux frappés de constater que, même si cette journée avait bel et bien été un don, toutes les choses que nous avions faites auraient pu l'être presque n'importe quel jour. Je sus alors que le reste de notre vie serait différent parce que le reste de nos jours serait différent.

—∞—

Trente jours s'écoulèrent, et Jason Stevens se retrouva de nouveau dans ma salle d'audience assis à la barre des témoins. Hamilton lui demanda d'expliquer comment il avait transmis le don d'un jour.

Jason affirma alors: «J'ai réfléchi aux gens susceptibles de jouir le plus du don d'un jour, et j'ai réalisé que ce devaient être des gens qui n'en avaient plus pour longtemps à vivre.

«Il y a un endroit qui s'appelle Le Centre de la croisée des chemins qu'une merveilleuse famille exploite. Ils aident les patients de l'hospice à vivre une journée spéciale. J'ai décidé de les aider à accomplir leur travail, de manière à ce que plus de gens puissent faire l'expérience du don d'une journée.»

Jason rassembla ses pensées, puis continua: «Il y avait là-bas un centenaire qui souhaitait aller à motocyclette. Après l'avoir équipé d'un casque et de lunettes, on l'a fait monter à bord d'un side-car et on lui a fait faire une balade à la campagne. Il a trouvé l'expérience extraordinaire, et une photo de lui en train de se promener en side-car a fait la une des journaux. Je crois que beaucoup d'autres gens vont se mettre à considérer chaque journée comme un don.

«Et puis il y avait une patiente en phase terminale du cancer qui n'avait jamais vu l'océan. J'ai fait ce qu'il fallait pour qu'elle puisse se rendre jusqu'à la côte. Elle est allée arpenter la plage en regardant le vaste océan.

«Il y avait aussi une personne qui, n'ayant plus que quelques jours à vivre, souhaitait rencontrer une certaine chanteuse et artiste de spectacle. Je suis entré en contact avec sa maison de disques, et ils ont fait le nécessaire pour que le patient soit assis dans la première rangée lors d'un de ses concerts et puisse aller retrouver la vedette dans les coulisses pour sortir dîner avec elle.

«Et, pour terminer, j'ai demandé aux gens de la croisée des chemins de m'aider à enseigner le don d'un jour aux gens qui n'ont pas été diagnostiqués comme étant en phase terminale. Une fois par semaine, ils donnent une conférence sur le don d'un jour. Ils vont la donner la semaine prochaine à l'École du samedi. Je crois que c'est important pour tout le monde.»

«Je le crois aussi», acquiesça Hamilton, avant de me confier la tâche de demander à Dudly s'il avait des questions.

«M. Stevens, si je comprends bien votre histoire, vous n'êtes pas venu directement en aide à ces gens-là. Vous avez travaillé auprès d'une organisation qui existait déjà, n'est-ce pas?»

«Oui, monsieur», lui confirma Jason.

«Alors, qu'avez-vous fait par vos propres moyens pour aider d'autres gens à comprendre le don d'un jour que votre grand-père vous a transmis?»

Énervé, Jason lui répondit: «Je n'ai rien fait par mes propres moyens. C'est comme le parc, je ne l'ai pas bâti par moi-même non plus. Je crois que mon grand-père dirait que le don d'un jour est trop grand pour qu'on le transmette en entier par soi-même, alors j'ai reçu un peu d'aide.»

Sur le ton du doute, Dudly lui demanda: «Alors, croyez-vous avoir transmis le don d'un jour et êtes-vous convaincu de le comprendre vous-même?»

Jason lui dit en riant: «Tout ce que je peux dire, c'est que je le comprends suffisamment pour aujourd'hui, mais je continue d'apprendre parce qu'avec un peu de chance demain sera un autre jour.»

Dudly sut qu'il venait de subir un échec et battit en retraite, en espérant obtenir de meilleurs résultats par la suite.

«Qu'on inscrive au registre que Jason Stevens est jugé avoir compris et transmis le don d'un jour. L'audience est suspendue jusqu'à demain matin, 10 heures, lorsque nous tiendrons une audience consacrée au dernier élément, à savoir le don de l'amour.»

La vie ultime est mise sous clé
à l'intérieur de chacun de nous.
L'amour en est la clé.

Quatorze

LA VIE DE L'AMOUR

V ingt-quatre heures sur vingt-quatre, les chaînes de télé couvraient les dernières étapes de l'affaire Red Stevens. En zappant, je remarquai un groupe de professeurs de droit en train de discuter des diverses questions relatives à cette affaire. Ils en débattaient chaudement, et la seule chose sur laquelle tous s'entendaient, c'était pour dire que cette affaire se comparait à un combat de championnat de poids lourds en douze rounds. On pouvait perdre onze rounds de suite, mettre son adversaire K.-O. au douzième et remporter quand même le prix.

Je ne pus m'empêcher de discerner la gravité de l'enjeu, qui dépendait de ma décision. Soit que toute la famille Stevens perdrait les millions de son héritage, soit que Jason perdrait la gestion des milliards que Red Stevens avait placés dans une fiducie en prévision de bonnes œuvres. Il ne semblait exister aucune autre issue.

Je passai énormément de temps à rechercher la sagesse qui me permettrait de trouver un juste compromis, mais au bout du compte il ne semblait y avoir aucune autre possibilité que de déclarer une partie gagnante et l'autre perdante. Or, je n'arrivais pas à croire que c'était là ce que Red Stevens aurait voulu.

Je fixai du regard l'horloge de mon cabinet. Le temps sembla s'être suspendu, mais 10 heures finirent par arriver. J'enfilai ma toge, je fis une courte pause pour réfléchir en silence, puis je franchis le pas de la porte d'acajou.

En gravissant les marches qui me conduisaient à mon siège de juge, je pus sentir la tension dans la salle d'audience. Je ne m'étais jamais trouvé auparavant dans une situation où l'enjeu financier était si grand. Je n'étais pas certain non plus que cela eût été le cas d'un autre juge.

Je m'installai dans mon fauteuil en m'interrogeant sur l'issue de cette audience. Je frappai du maillet et déclarai: «Mesdames et messieurs, l'audience est ouverte. La route qui nous a conduits jusqu'à cette dernière question à débattre dans l'affaire du testament de Red Stevens s'est avérée longue pour nous tous.

«Je tiens à remercier les avocats qui ont travaillé avec professionnalisme et ténacité à représenter leurs différents clients. Je tiens également à remercier ma famille du tribunal, Jim et Paul, qui servent cette Cour avec compétence en tant que greffiers, et Scott, que je crois être le meilleur sténographe judiciaire qui soit. Pour terminer, j'aimerais remercier mon mentor et ami, le juge Eldridge, qui a siégé au banc de ce tribunal pendant de nombreuses années. Il m'a donné un exemple sans prix à suivre et une relève exigeante à assurer. Je fais de mon mieux jour après jour, comme je le ferai aujourd'hui, pour me montrer à la hauteur des normes qu'il a établies.

«Nous tous qui sommes réunis ici aujourd'hui savons quel est l'enjeu de l'affaire qui nous intéresse. En fait, grâce à nos amis des médias tant ici même dans la salle d'audience qu'ailleurs, le monde entier connaît cet enjeu. Je tiens néanmoins à rappeler à tous qu'il s'agit d'une action judiciaire officielle. Je tiendrai donc chaque personne présente responsable d'observer les normes de respect et d'ordre que l'affaire en cours mérite.

«J'appellerai d'abord Me Theodore J. Hamilton, de la firme Hamilton, Hamilton et Hamilton, à présenter son argument.»

Le regard d'Hamilton et le mien se croisèrent, et je déclarai à l'avocat: «Monsieur, c'est effectivement un privilège de vous avoir dans notre salle d'audience et comme membre de notre profession.»

Hamilton accueillit ma remarque d'un signe de tête et dit: «Votre Honneur, je tiens à vous remercier, de même que toutes les personnes ayant part à ce procès, de ne donner à mon client rien de plus, ni rien de moins, que l'occasion de plaider sa cause et de la voir être jugée de manière juste.»

Hamilton marqua une pause, feuilleta quelques papiers étalés sur la table devant lui, puis entonna: «Votre Honneur, une fois de plus, nous appelons Jason Stevens à la barre pour témoigner dans cette affaire.»

D'un pas énergique, Hamilton s'approcha de Jason assis à la barre et lui demanda: «M. Stevens, au cours du dernier mois de la quête de toute une année que votre grand-père vous a léguée par testament, avez-vous eu l'occasion d'en apprendre au sujet du don de l'amour?»

Jason le lui confirma d'un signe de tête solennel et en lui répondant: «Oui, monsieur, c'est le cas.»

«Et avez-vous eu alors l'occasion d'entreprendre une tâche qui allait vous aider à faire l'expérience du don de l'amour?»

De nouveau, Jason le reconnut: «Oui, monsieur.»

Après être retourné à la table des avocats et se tenant debout à côté de sa chaise, Hamilton demanda: «Jason, pouvez-vous faire connaître cette expérience à la Cour aujourd'hui?»

Hamilton s'assit tandis que Jason commençait.

«Mon grand-père m'a enseigné qu'on ne peut avoir de l'amour dans un domaine de sa vie sans avoir d'amour dans tous les autres domaines de sa vie. Alors, pour ce qui est du don de l'amour, il m'a demandé de réfléchir chaque mois de l'année à un don différent que j'ai reçu et au rôle primordial que l'amour avait joué dans le cadre de chacun de ces dons.»

Hamilton lui demanda alors: «Et Jason, avez-vous pu accomplir cette tâche avec succès?»

«Oui, monsieur», lui répondit Jason.

Hamilton l'invita à en dire plus: «Jason, vous voulez bien nous faire savoir brièvement quel rôle le don de l'amour a joué dans le cadre de chaque don que votre grand-père vous a fait?»

Après y avoir réfléchi un instant, Jason affirma: «Eh bien, dans le cadre du don du travail, j'ai appris que Gus

Caldwell et mon grand-père se vouaient mutuellement un respect et un amour sincères, et j'ai découvert combien il était important d'aimer son travail. Dans le cadre du don de l'argent, j'ai appris que l'amour de l'argent conduit inévitablement à une impasse, mais que, si l'on aime les gens et l'on se sert de l'argent, on peut vraiment faire une différence. Dans le cadre du don des amis, j'ai appris que, pour avoir un ami, il faut en être un soi-même. On doit être prêt à donner de l'amour avant d'exiger d'en recevoir. Dans le cadre du don de l'apprentissage, j'ai découvert que l'amour de l'apprentissage constitue la quête de toute une vie. Une quête qui ne se termine simplement jamais. Dans le cadre du don des problèmes, j'ai appris que, bien qu'une situation puisse être difficile et même sembler impossible, quand on s'aime soi-même et ceux de son entourage et qu'on met l'accent sur ce qu'on a reçu, le problème que l'on voit avec les yeux de l'amour devient une opportunité. Dans le cadre du don de la famille, j'ai découvert la différence qui existe entre ce qui nous plaît et ce que l'on aime. Notre famille ne nous plaît pas toujours, mais nous pouvons toujours aimer nos proches en dépit de tout problème et en toute situation.

«Dans le cadre du rire, j'ai appris que la haine disparaît quand on rit et que l'amour peut alors naître de n'importe quelle situation. Dans le cadre du don des rêves, j'ai découvert que l'on a tous en soi des passions et une destinée qui nous sont propres. L'amour peut libérer le potentiel qui sommeille en nous. Dans le cadre du don du don, j'ai découvert que nous devrions toujours aimer tout le monde suffisamment pour être un donateur de bienfaits, et l'amour est la seule chose que, plus on donne, plus on a. C'est une fontaine inépuisable. Dans le cadre du don de la gratitude, j'ai appris que l'on a reçu beaucoup de bénédictions dans sa vie, et que le seul moyen qu'on a d'aimer véritablement consiste à se montrer reconnaissant pour ce qu'on a reçu. Dans le don d'un jour, j'ai appris qu'il est impossible d'aimer la vie sans aimer la journée d'aujourd'hui. Si l'on remplit d'amour chacune de ses journées, on aura toujours suffisamment de tout.»

Je n'arrivais pas à croire que, avec autant de gens dans ma salle d'audience, un silence absolu puisse se prolonger ainsi.

Theodore J. Hamilton finit par se lever et déclarer : «Votre Honneur, je ne diminuerai pas le pouvoir de ce qui vient d'être entendu en y ajoutant quoi que ce soit. Nous avons terminé notre plaidoyer pour cette affaire.»

Je fis un signe de tête à Mᵉ Hamilton, puis je posai mon regard sur L. Myron Dudly, que j'informai de ceci : «Monsieur, la parole est maintenant à vous.»

Dudly resta assis sans bouger pendant une période assez longue pour créer un malaise. Je me demandai s'il m'avait même entendu, mais il finit par se lever et s'avancer inévitablement vers la barre des témoins comme un homme parcourant son dernier kilomètre. Avec le recul, je dois admettre que Dudly fit un travail admirable en prenant le contre-pied de ce procès des plus difficiles à gagner.

Il se racla la gorge, me fit signe de la tête et se jeta à l'eau. «M. Stevens, étant donné que c'est le testament de votre grand-père qui fait l'objet d'une argumentation et qui est contesté devant cette Cour, examinons votre relation avec lui par rapport au don de l'amour.»

Tout en faisant les cent pas, Dudly gagna de l'assurance et prit son élan. «M. Stevens, diriez-vous devant ce tribunal que vous avez aimé votre grand-père au cours des années où il était là avec vous?»

Après avoir soupiré profondément et s'être penché en avant sur sa chaise, Jason expliqua ceci: «Je ne savais pas comment aimer qui que ce soit, y compris moi-même, jusqu'à ce que je reçoive le don de l'amour de mon grand-père, alors je dois dire honnêtement que je n'ai pas aimé mon grand-père du temps de son vivant.»

Dudly sentit jaillir une lueur d'espoir, qui sembla se communiquer aux membres de la famille Stevens, car l'espoir sembla leur revenir sur-le-champ.

Mᵉ Dudly frappa du poing la barre devant Jason et fulmina contre lui: «Jeune homme, si tel est le cas, comme vous en avez témoigné sous serment, comment au nom de tout ce que nous appelons légal, équitable et juste pouvez-vous dire que vous aimiez votre grand-père de la façon qui est décrite dans le don de l'amour et que vous avez droit à son héritage?»

Dudly le fixa d'un regard laissant anticiper la victoire.

Jason finit par prendre la parole: «Mᵉ Dudly, je dois admettre que je n'aimais pas mon grand-père lorsqu'il était vivant, pas plus que j'ai mérité d'une quelconque manière l'amour qu'il me témoignait, mais on dirait que, par sa mort et le don ultime qu'il m'a fait, j'ai appris à l'aimer et à aimer les gens de mon entourage. Personne ne peut jamais mériter l'amour. On ne peut que le chérir et le donner.»

Dudly fut secoué par cette réponse, mais il espérait encore faire un bon bout de chemin. Il s'adressa à moi.

«Votre Honneur, nous n'avons plus de questions à poser à cet individu. Étant donné qu'il a déjà admis en témoignant sous serment qu'il n'a jamais aimé son grand-père durant toutes les années de la vie de ce dernier, nous ne pouvons que demander à la Cour de statuer promptement et définitivement en faveur de mes clients et de leur rendre l'héritage qui leur revient de droit.»

Dudly se glissa sur sa chaise derrière la table des avocats. Plusieurs de ses collègues de Dudly, Cheetham et Leech lui tapotèrent le dos et lui firent le signe de la victoire. Avec anticipation, les membres du clan Stevens se penchèrent collectivement en avant sur leurs sièges.

J'étais déchiré, tandis que je soupesais les questions que je devais trancher. L'amour est impossible à définir, ce qui fait qu'il défie le jugement.

Je fis claquer mon maillet et j'annonçai: «L'audience est suspendue et reprendra à 14 heures.»

Je franchis presque en volant le pas de la porte d'acajou pour pénétrer dans mon cabinet. Je parlai à voix haute au DVD intitulé *Le don de l'amour*, que je tenais dans ma main, en disant: «Red, si vous avez déjà eu quelque chose de profond à dire à ce sujet, il y a ici un vieux juge qui apprécierait vraiment l'entendre.»

Je glissai le dernier DVD dans le lecteur et j'accueillis Red Stevens dans mon cabinet pour la dernière fois.

«Jason, au cours de ce dernier mois, je vais te faire connaître la partie du don ultime qui englobe tous les autres dons, de même que toutes les bonnes choses que tu pourras jamais faire, posséder et connaître. Il s'agit du don de l'amour.

«Tout ce qui est bon, honorable et souhaitable dans la vie est fondé sur l'amour. Tout ce qui est mal et mauvais n'est que la vie dépourvue d'amour. "Amour", quel mot galvaudé par notre société, qui l'emploie à toutes les sauces. On l'applique à toutes sortes de futilités et de quêtes frivoles; mais l'amour dont je parle ici, c'est la bonté qui ne peut venir que de Dieu. Ce n'est pas tout le monde qui croit et qui reconnaît ça, j'en conviens. Mais je sais quand même que l'amour véritable vient de lui – qu'on le sache ou non.

«Jason, nous avons beaucoup cheminé dans ce don ultime. Je tiens à ce que tu saches, par-dessus tout, qu'en dépit de toutes les erreurs que j'ai faites et des nombreuses fois où je ne me suis pas montré à la hauteur envers toi, Jason Stevens, que ton grand-père t'aimait.»

Je dis tout haut à Red Stevens à l'écran: «Merci de votre aide.»

J'espérais qu'il sache, d'une manière ou d'une autre, que j'allais agir au mieux des intérêts de toute sa famille.

—∿—

À 14 heures précises, j'entendis frapper brièvement à ma porte d'acajou. Elle s'ouvrit suffisamment pour permettre à Scott, mon sténographe, de passer la tête par l'ouverture pour me dire : « Votre Honneur, ils sont tous assis là à vous attendre depuis près d'une demi-heure. Je n'ai jamais rien vu de tel. »

De retour dans la salle d'audience, je me préparai à rendre ce que je savais devoir être le jugement le plus célèbre, sinon le plus important, de toute ma vie. Je fis claquer mon maillet, bien que cela fût tout à fait inutile, car l'ordre régnait déjà et tous les yeux étaient fixés sur moi.

« Tout bien considéré, la Cour décide que Jason Stevens n'a aimé son grand-père à aucun moment de la vie de celui-ci. Ce n'est qu'après sa mort que Red Stevens est arrivé à enseigner le don de l'amour à Jason, rendant ainsi possible à Jason Stevens d'aimer son grand-père. Bien que cet arrangement soit fort peu conventionnel et tout à fait indésirable, il répond à la lettre et à l'esprit du testament de Howard "Red" Stevens. »

C'est alors que je dus frapper de mon maillet avec force à plusieurs reprises pour ramener l'ordre dans la salle. On pouvait entendre des cris de protestation et de colère provenant de la famille Stevens. Mes greffiers, Jim et Paul, apparurent devant moi, et je me réjouis de leur présence.

Je promenai un regard menaçant et insistant sur ceux qui s'étaient réunis dans ma salle d'audience et je repris ensuite la parole.

« Permettez-moi de me montrer on ne peut plus clair sur une chose : l'ordre régnera dans ce tribunal, sans quoi ces messieurs devant vous évacueront les lieux et quelques-uns d'entre vous auront l'occasion de faire l'expérience de l'hospitalité de notre établissement officiel de détention juste à côté.»

Je laissai mes paroles pénétrer dans l'esprit de chacun et conclus: «L'audience est suspendue pendant trente jours, au cours desquels Jason Stevens aura l'occasion de démontrer qu'il est capable de transmettre le don de l'amour qu'il a reçu de Howard "Red" Stevens au moyen du don ultime.»

Bien que, pour l'instant, nous eussions terminé de la traiter devant le tribunal, la question était loin d'être réglée.

Une vie bien vécue,
voilà ce qu'est le don ultime.

Quinze

LA VIE ULTIME

❧

*J*e n'aurais pas cru la chose possible, mais l'activité des médias s'intensifia, la tension et l'anxiété s'accrurent, et il fut difficile pour moi et pour tous les autres du palais de justice d'accomplir quoi que ce soit durant ce mois-là.

Le dernier jour finit par arriver. Pour le meilleur ou pour le pire, tout allait prendre fin. Je sondai encore mon cœur, mon esprit et mon âme, à la recherche du moyen terme ou d'un quelconque moyen de rendre une des célèbres décisions où tout le monde était gagnant dont le juge Eldridge avait le secret.

Je donnai quelques coups de maillet et exigeai que l'ordre règne dans le tribunal, c'est alors que la chose se produisit. La légende en personne, Theodore J. Hamilton, se leva et déclara: «Votre Honneur, plaise à la Cour, j'ai une requête écrite à présenter qui est en rapport direct avec l'affaire qui nous intéresse.»

Mᵉ Hamilton s'avança vers moi pour me remettre une feuille de papier. L. Myron Dudly sauta sur ses pieds et s'exclama : « Votre Honneur, je m'objecte à ce que toute requête soit faite ou entendue par la Cour sans que ladite action soit examinée par l'avocat de mes clients. »

Hamilton marqua une pause à mi-chemin, baissa la feuille qu'il tenait dans sa main et me dit : « Votre Honneur, j'implore ici l'indulgence de la Cour, mais je suis prêt à mettre en jeu ma réputation en tant que juriste et avocat. Si Votre Honneur veut bien simplement regarder ce court document, je crois que tout se clarifiera. »

Dudly répéta : « Objection ! »

Tandis que Hamilton reprenait la parole, je levai la main pour imposer le silence aux deux avocats.

« Mᵉ Dudly, je vais permettre que cette requête soit présentée de cette manière, en accordant à Mᵉ Hamilton le plus de latitude possible conformément à l'expérience et à la réputation qu'il a devant ce tribunal. »

Frustré, Dudly frappa la table des avocats de sa main ouverte et se laissa choir sur sa chaise avec résignation.

Ensuite, en pointant de mon maillet le seul et unique Theodore J. Hamilton, je poursuivis : « Toutefois, maître, permettez-moi de vous faire une mise en garde. Si vous conduisez la Cour sur une mauvaise route, je réagirai en vous infligeant toute mesure disciplinaire et toutes représailles que la loi me permettra. »

Hamilton me fit un signe de tête, accepta mes conditions, s'avança vers moi et me remit la feuille en question. Je la survolai, puis la relus, et la relus une troisième fois afin de m'assurer que mes yeux ne me jouaient pas de tour.

Je fis un signe de tête à Me Hamilton et lui dis: «Cette requête est acceptée telle que présentée. Vous pouvez faire venir M. Stevens à la barre.»

Dudly se leva d'un bond, renversant un pichet d'eau et bousculant la table des avocats. En ouvrant les bras bien grands, il plaida ainsi: «Votre Honneur, une requête s'est trouvée devant la Cour, a été présentée et adoptée, sans que mes clients aient droit de regard sur la question.»

Je lui fis signe que je le comprenais et lui fis remarquer: «Me Dudly, je suis sensible à votre position et je vous demande, à vous et à vos clients, d'accorder à la Cour encore quelques instants.»

Jason Stevens était à la barre. Hamilton s'approcha de lui et lui demanda: «Jason, auriez-vous l'obligeance de faire part à la Cour de votre expression du don de l'amour tel que votre grand-père, Red Stevens, vous l'a présenté?»

Jason répondit: «Je n'ai pas appris à aimer mon grand-père, ni personne d'autre dans ma famille, avant que, par le don ultime, je reçoive le don de l'amour. L'amour donne et reçoit le pardon, ce qui fait qu'à l'heure même, j'aimerais demander à chaque membre de ma famille de me pardonner toutes les années où je ne leur ai témoigné aucun respect, encore moins de l'amour.»

Dudly tonna: «Votre Honneur, tout ça, c'est bien beau, mais...»

Je fis alors claquer mon maillet et je levai mon autre main pour imposer le silence à l'avocat contestataire.

« Votre objection est rejetée, maître », déclarai-je. Je reportai mon regard sur Jason, qui poursuivit.

« En plus de demander pardon, je souhaiterais également demander au juge la permission d'essayer, de manière bien humble, d'exprimer mon don de l'amour à ma famille. »

Jason leva les yeux vers moi et me demanda : « Est-ce que je peux leur dire ? »

Je le lui permis d'un signe de tête, et Jason Stevens témoigna.

« J'ai demandé à Me Hamilton de préparer un document et de le présenter au juge Davis afin que, si le juge statuait en ma faveur, ma famille ne perdrait pas tous les biens dont elle a hérité. »

Une foule de questions se firent entendre et une grande incertitude naquit partout dans la salle d'audience. Je frappai du maillet pour rappeler tout le monde à l'ordre et fis signe à Me Hamilton de procéder.

« Jason, pour clarifier les choses, devons-nous comprendre que vous demandez à votre famille de vous pardonner et que vous lui rendez tout son héritage, quelle que soit l'issue de ce procès ? »

Ému, Jason posa son regard sur chacun des membres de sa famille présents dans la salle d'audience en déclarant : « Oui. Ces gens sont ma famille, et au bout du compte, quelle que soit l'issue du procès, ils seront encore ma famille et je veux qu'ils sachent que je les aime, et je veux qu'ils reçoivent l'héritage que mon grand-père leur a laissé. »

Tout le monde resta assis là bouche bée. Jason finit par se tourner vers moi et me dire : « Votre Honneur, je peux vous poser une question ? »

Je lui répondis en riant : « Fiston, après avoir passé une année à répondre aux questions de tout le monde, je crois que vous avez acquis le droit d'en poser une. »

Jason me demanda : « Est-il vrai que les juges sont autorisés à marier des gens ? Je veux dire, pouvez-vous célébrer un mariage ? »

J'éclatai de rire et lui répondis : « Fiston, je n'ai plus marié personne depuis avant votre naissance, mais cela ne veut pas dire que je ne sois pas habilité à le faire. »

Jason déclara alors : « Eh bien, alors, si Alexia le veut bien, je pense que nous aimerions que vous nous en fassiez l'honneur le plus tôt possible. »

Alexia se leva à la table des avocats, hocha vigoureusement la tête d'un signe affirmatif et dit : « Oui. Oui. Oui. »

Une salve d'applaudissements monta de la galerie. Je la laissai s'apaiser, puis je frappai du maillet et déclarai : « Nous aborderons la question du mariage sous peu, mais d'abord j'ai un jugement à rendre. »

« Après avoir examiné chacun des aspects du don ultime tel que Howard "Red" Stevens l'a décrit dans son testament, la Cour déclare que Jason Stevens est bel et bien l'héritier légitime de la succession de son grand-père et lui accorde la possession de tous les biens que son grand-père a légués en héritage.

« Sa requête antérieure a été acceptée par la Cour, qui rend donc à la famille Stevens tous les biens qui lui avaient été légués antérieurement.

« Jason Stevens, la gestion entière des milliards de dollars qui composent la Fiducie de bienfaisance de Red Stevens vous revient. La Cour espère que vous vous acquitterez de cette tâche de manière responsable, comme votre grand-père l'aurait fait s'il avait été là. »

Je souris à Jason et conclus ainsi : « Et, fiston, après avoir passé plus d'un an avec vous ici, dans cette salle d'audience, je ne crois pas qu'il existe meilleur homme que vous pour s'acquitter de cette tâche. »

—m—

Ce qui marqua la fin marqua également le début.

Quelques jours seulement s'étaient écoulés lorsque je me retrouvai en train de savourer un glorieux lever du soleil dans le Parc urbain Howard "Red" Stevens. Je n'arrivais pas à croire que tant de gens s'y soient déjà rassemblés à pareille heure. Toutes les mères monoparentales et leurs enfants de la coopérative de garde étaient là, ainsi que les élèves de l'école pour aveugles venus dans deux autobus scolaires pleins à craquer. On pouvait voir un grand nombre de fauteuils roulants et de déambulateurs, ce qui indiquait que beaucoup de gens du centre pour personnes âgées s'étaient déplacés. Les jeunes de l'École du samedi avaient pris place en avant, en compagnie de beaucoup d'autres amis et invités. Je reconnus les membres du clan Stevens, qui s'étaient tous mis sur leur trente et un pour l'occasion. Bien entendu, Theodore J. Hamilton et Margaret Hastings étaient là, ainsi que Jeffrey Watkins. Et, le plus étonnant, c'est que tous les associés et le personnel de soutien de toute la société d'avocats Dudly, Cheetham et Leech étaient présents.

En dépit des meilleurs efforts fournis pour interdire l'entrée aux médias, plusieurs d'entre eux s'étaient glissés dans la foule. Et debout devant moi, avec autant de joie que le lever du soleil et un avenir prometteur, se tenaient Jason et Alexia.

Après avoir souhaité la bienvenue à tous et avoir fait quelques déclarations initiales, je demandai : « Jason, voulez-vous prendre Alexia pour épouse légitime ? »

« Je le veux », déclara Jason.

« Et Alexia, demandai-je, voulez-vous prendre Jason pour époux légitime ? »

En posant un regard amoureux sur lui, elle répondit : « Je le veux. »

Je conclus : « Je vous déclare maintenant mari et femme. Vous pouvez embrasser la mariée, et veuillez accepter mes souhaits les plus sincères de santé, de bonheur et de vie ultime. »

AU SUJET DE L'AUTEUR

Jim Stovall compte parmi les conférenciers les plus stimulants et les plus en demande partout dans le monde. En dépit de sa mauvaise vue et de sa cécité imminente, cet Américain est champion olympique d'haltérophilie, de même que courtier en valeurs mobilières et entrepreneur prospère. Il est cofondateur et président du réseau de télévision Narrative Television Network, qui adapte films et émissions de télévision pour les 13 millions d'Américains, et leurs familles, qui souffrent de cécité totale ou partielle. Or, bien que NTN ait été conçu à l'origine pour les aveugles et les malvoyants, son auditoire à l'échelle nationale se compose à plus de 60 pour 100 de téléspectateurs voyants qui en apprécient tout simplement la programmation. Il est à noter qu'on peut avoir accès gratuitement à cette programmation, et cela 24 heures sur 24, par Internet, à l'adresse www.NarrativeTV.com.

Jim Stovall anime également *NTN Showcase*, soit l'émission de variétés du réseau, dans le cadre de laquelle il a reçu notamment Katharine Hepburn, Jack Lemmon, Carol Channing, Steve Allen et Eddie Albert. Au nombre des honneurs qui lui ont été faits dans l'industrie de la télévision, le réseau Narrative Television Network s'est également vu décerner un Emmy Award et un International Film and Video Award. Le NTN englobe maintenant plus de 1200 systèmes de télédistribution et de stations de radiodiffusion, et ses émissions sont diffusées dans plus de 35 millions de foyers américains et dans 11 pays étrangers.

Jim Stovall a joint les rangs de Walt Disney, d'Orson Welles et de quatre présidents américains lorsque, en 1994, la Jeune Chambre des États-Unis l'a choisi comme un des « Dix jeunes Américains exceptionnels ». Il est passé à l'émission *Good Morning America* et sur la chaîne CNN. On a écrit à son sujet dans le *Reader's Digest*, le *TV Guide* et la revue *Time*. Il a écrit les livres intitulés *You Don't Have To Be Blind To See*, *Success Secrets of Super Achievers* et *The Way I See The World*, ainsi que l'antérieur du présent livre intitulé *Le don ultime*. *Le don ultime* s'est vendu à plus de deux millions d'exemplaires, a été traduit en plus d'une dizaine de langues, et a inspiré un grand film dans lequel James Garner, Lee Meriwether, Brian Dennehy et Abigail Breslin se sont partagé la vedette. De plus, en 1997, le President's Committee on Equal Opportunity l'a nommé entrepreneur de l'année. Puis, en juin 2000, Jim Stovall a pris sa place parmi les grands de ce monde, aux côtés du Président Jimmy Carter, de Nancy Reagan et de Mère Teresa, lorsqu'on lui a décerné l'International Humanitarian Award.

On peut joindre Jim Stovall au (918) 627-1000.

Table des matières